D0901489

Un fils obéissant

Du même auteur

Romans

Les Mauvaises Pensées, JC Lattès, 1999 (prix Wizo).
La Folle Histoire, JC Lattès, 2003 (prix Littré) ; J'ai lu.
La Consultation, JC Lattès, 2005 ; Pocket.
Les Derniers Jours de Stefan Zweig, Flammarion, 2010 (prix Baie des Anges) ; J'ai lu.
La Légende des fils, Flammarion, 2011 ; J'ai lu.
Le Cas Eduard Einstein, Flammarion, 2013 (prix du Meilleur Roman français du *Parisien*, Prix littéraire des Hebdos en régions, prix littéraire de Psychanalyse, prix Segalen, prix des Humanités) ; J'ai lu.
L'Exercice de la médecine, Flammarion, 2015 (prix Transfuge du meilleur roman français, prix Saint-Maur en poche, prix de l'Association française de psychiatrie, prix Livre Azur, Grand Prix de l'Académie de pharmacie) ; J'ai lu.
Romain Gary s'en va-t-en-guerre, Flammarion, 2016 ; J'ai lu.

Biographie

Albert Einstein, Gallimard, Folio Biographies, 2008.

Théâtre

Les Derniers Jours de Stefan Zweig, Flammarion, 2012.
Modi, Flammarion, 2017.

Laurent Seksik

Un fils obéissant

roman

Flammarion

ISBN : 978-2-0814-1303-0

À ma mère

Nos retrouvailles

Mon père a disparu il y a un an aujourd'hui.

Dans la salle d'embarquement de l'aéroport Charles-de-Gaulle, j'attends le vol qui me conduira à la célébration de ce triste anniversaire. Je dois tenir un discours devant sa sépulture face à un parterre de femmes et d'hommes qui l'ont connu.

Nous avions parcouru les allées du cimetière, côte à côte, d'un même pas. Au milieu du paysage de tombes sur lequel le vent soufflait par rafales, il avait désigné d'un geste de la main un emplacement demeuré vide. « On sera bien ici, ta mère et moi… » Dans le ton de sa voix flottait un détachement désinvolte destiné à tromper mon angoisse mais qui produisit le même effet que si une poignée de terre m'était portée en bouche.

Il est 5 heures du matin à l'aéroport Charles-de-Gaulle.

La lumière blanche et crue qui tombe du plafond répand une pâleur de spectre sur les visages.

Les paupières gonflées, les mines fatiguées affichent les stigmates d'une nuit trop brève. Deux enfants dont les parents semblent avoir renoncé à se faire obéir traversent les allées en poussant de grands cris sous le regard agacé et les soupirs las des voyageurs. Ils réveillent un couple de jeunes gens enlacés qui tentaient de dérober un ultime instant de sommeil à la nuit.

Une file s'est formée devant le guichet d'embarquement.

L'an passé, à pareille époque, j'en empruntais une identique pour rejoindre mon père dans ses derniers instants. La veille, la sonnerie du téléphone avait retenti dans l'appartement silencieux à une heure ne laissant aucun doute sur la nature de l'appel.

— Le médecin dit qu'il faut que tu viennes, avait annoncé ma sœur, des sanglots dans la voix.

Dans le taxi pour le premier vol, je sollicitai auprès du chauffeur la faveur de m'asseoir à l'avant. Le grand vide du siège arrière m'effrayait comme un corbillard. À peine la voiture avait-elle démarré que j'avais fondu en larmes, première crise de pleurs d'une série qui, depuis un an, paraît ne jamais vouloir prendre fin et me saisit à l'improviste quand un souvenir détourne le cours des pensées ordinaires, pour, semblable au chien de garde d'un troupeau, les reconduire vers le passé.

J'ai tant pleuré qu'un jour un coquard s'est formé sur ma paupière supérieure droite, hématome gros comme un œuf de pigeon, et tel que l'ami ophtalmologiste que je consultai alors m'avoua n'en avoir jamais vu en vingt ans de carrière – je ne tirais aucune fierté des trésors d'ingéniosité que ma petite fabrique de chagrin déployait. Je pleurais tant les premiers mois, naufragé dans ma vallée de larmes, que mon entourage s'inquiétait pour ma santé mentale. Je pleurais matin, midi et soir, comme pour respecter une prescription de l'au-delà, pleurais, aussi inapte à endiguer ma peine que si, en quittant ce monde, mon père avait emporté mon entière volonté. Je pleurais sans raison, pareil au déséquilibré qui rit pour un rien, pleurais à la moindre allusion triste ou joyeuse que faisait la vie quant au passage de mon père sur cette terre. Je pleurais comme certains esprits simples disent qu'un homme ne devrait jamais pleurer, anéanti de douleur, un édifice effondré sur mes épaules, je pleurais de désespoir, liquéfié, dissous, manquant de souffle et d'air. Mais le plus étrange était que ce saccage intime qui me laissait plus abattu qu'un boxeur après son combat, loin de m'affliger, s'accomplissait dans une sorte d'extase, car cet abîme de désolation, plongée à l'écart du monde, m'accordait de partager un dernier moment avec mon père. Et maintenant que les crises de larmes se raréfient, que je dois les rappeler en remuant le fond de mes souvenirs à la manière de certains pêcheurs drainant la vase d'un étang, je mesure quel cadeau m'était offert avec ces convulsions de tristesse.

Ce matin-là du dernier jour de mon père, dans le taxi pour Charles-de-Gaulle, le chauffeur m'avait tendu un kleenex d'un geste empli d'aimable discrétion.

— Ne vous en faites pas, avait répondu l'homme sur un ton de bienveillance après que je me fus platement excusé du spectacle que je lui imposais.

Mes larmes taries, je commençai à lui parler de mon père, me confiai à lui comme à un ami d'enfance retrouvé par hasard, dont on ne sait plus rien, à qui rien ne nous lie plus, mais auprès de qui on retrouve une familiarité immédiate bâtie sur le sable d'un passé révolu.

— Moi aussi j'ai perdu mon papa, avait-il fini par déclarer d'un air compatissant, et sans doute voulait-il me consoler en m'emmenant communier dans la confrérie des orphelins de père.

Ses mots de réconfort eurent sur moi un effet mortifère, j'enrageais intérieurement, soupçonnant derrière ces paroles bienveillantes la volonté d'enterrer mon père vivant. Depuis qu'il se débattait entre la vie et la mort, des accès de fureur immotivée se déchaînaient à tout propos, m'entraînaient dans d'impensables algarades, la colère était devenue une seconde nature que dévoilait le moindre mot entendu de travers.

— Ça n'est pas exactement pareil, avais-je corrigé d'une voix blanche. Moi, mon père est encore en vie.

— Je comprends, admit-il sur le ton de l'excuse, vous, votre père est vivant.

J'avais laissé passer un silence, mais, incapable de taire ma douleur, j'avais ajouté :

— Ce qui est terrible, c'est que bientôt il cessera de l'être.

— Oui, c'est cela qui est terrible, avait-il répété tristement... Chez moi, on dit qu'il faut prier.

— Vous pensez que cela sert à quelque chose ?

— Cela rend plus fort, je crois.

— Je ne veux pas être plus fort, je veux juste que mon père s'en sorte ! m'exclamai-je dans un nouvel éclat de colère insensée.

— Que disent les médecins ?

— Que c'est fini.

L'homme s'était accordé un instant de réflexion.

— Alors, priez, avait-il fini par lâcher.

Dans la voiture qui m'a déposé ce matin à l'aéroport, j'ai pris place à l'arrière, échangé quelques mots de politesse avec le chauffeur puis fixé en silence le défilé d'immeubles de bureaux et d'hôtels à bas prix qui longent l'autoroute et dont les façades offraient une note de désolation supplémentaire au point du jour.

Le conducteur m'a demandé si je partais en vacances. J'ai répondu, sans réaliser ce que je disais :

— Non, mon père est mort.

Il a répliqué, un peu machinalement :

— Mes condoléances, monsieur.

Depuis quelques mois déjà, je ne recevais plus de condoléances, j'ai remercié et me suis replongé dans ma morne contemplation du paysage.

— Moi, je suis sicilien d'origine, a-t-il repris. Chez nous, la famille, c'est essentiel. Quand quelqu'un est vivant, il est absolument vivant, il chante, il hurle, il baise et tout le monde l'entend chanter, hurler, baiser. Quand il meurt, il meurt aussi bruyamment. On entend partout qu'il ne gueule plus. Les villages et les murs des maisons tremblent de son silence. Nos femmes, voyez-vous, le deuil les enveloppe. Il les habille, le deuil. Il tombe sur leurs épaules comme tombe un costume Armani.

Un cortège de femmes en noir a traversé mes pensées. Au milieu d'elles est apparu le visage d'une actrice qui jouait l'épouse endeuillée dans *Zorba le Grec*, un film que j'avais vu plusieurs fois durant mon enfance. « C'est Irène Papas ! » s'écriait mon père lorsqu'elle paraissait à l'écran. Ce nom ne manquait jamais de déclencher en moi une irrépressible hilarité.

— En Sicile, c'est pas comme ici, a poursuivi le chauffeur. Ici, on meurt sans se faire remarquer, on est gêné de disparaître, on part sur la pointe des pieds. On a peur de souffrir et on a peur de faire souffrir, en réalité on a peur de tout. Eh bien chez nous, on n'a peur de rien !

J'ai répété intérieurement et plusieurs fois : *Irène Papas*. J'ai vu alors mon père esquisser quelques pas de danse en cadence avec le sirtaki d'Anthony Quinn, les bras à mi-hauteur, jambes croisées puis décroisées, un pas de côté puis un pas en arrière. M'est revenue aux oreilles la musique de Mikis Theodorakis, son rythme alangui s'intensifiant jusqu'à la frénésie. Et alors que je m'enorgueillissais de ne plus verser de larmes depuis des semaines, des sanglots me sont montés à la gorge.

— Nous respectons la mort, a continué le taxi, et nous la craignons comme nous respectons et craignons le Seigneur.

Dans le rétroviseur, son regard a croisé le mien. Il s'est interrompu un bref instant puis a repris, d'un ton gêné :

— Excusez-moi, je ne pensais pas que nos coutumes vous mettraient dans un tel état.

Nous n'avons plus échangé un mot jusqu'à Roissy.

Une voix métallique résonne dans le hall pour annoncer un retard de l'avion, provoquant parmi la petite foule de passagers un murmure de réprobation. Je sors mon ordinateur de sa housse afin de poursuivre une nouvelle inspirée de la vie de mon grand-oncle paternel dont le récit m'avait été rapporté par mon père dans l'enfance. À l'instar d'un essai sur Zweig entrepris depuis peu, ce travail vise à m'occuper l'esprit et à m'interdire de commencer l'écriture de mon prochain roman. Celui-ci tournera sans doute autour de la figure de mon père mais sa trop brûlante disparition me pousse à retarder l'heure du souvenir.

Je n'ai pas encore commencé à écrire le discours qu'il me faudra prononcer au cimetière en fin d'après-midi. J'ai déjà les premières phrases :

« Il nous a quittés depuis un an maintenant, mais il me semble que c'était hier. En réalité Lucien ne nous a jamais quittés et je ne serais pas surpris qu'avec son sens de la facétie, il ne surgisse dans un instant fier de nous avoir joué un bon tour, en se moquant de nos mines d'enterrement… »

J'écrirai mon texte dans l'avion ou peut-être même dans le taxi pour le cimetière. Ou bien choisirai-je d'improviser ? Après tout, l'assistance aura dans sa majorité dépassé les quatre-vingts ans, la plupart des participants préféreront sans doute que leur soit épargnée la douleur de se voir rappeler le décès d'un être qu'ils ont chéri.

À l'époque où il vivait à Nice, mon père était l'administrateur d'une société de bienfaisance qui venait en aide aux démunis, tâche à laquelle, depuis qu'il avait pris sa retraite de professeur, il consacrait l'essentiel de son temps. L'organisme permettait aux plus pauvres d'accéder à une sépulture décente. Il incombait à mon père de rédiger l'éloge funèbre du défunt puis de le lire lors de la mise en terre. L'exercice, auquel il vouait la même assiduité que naguère à la préparation de ses cours, occupait ses soirées. Je l'observais parfois pendant qu'il s'appliquait, de son écriture soignée d'enseignant, à résumer à partir des bribes d'informations à sa disposition une vie entière. Sous sa plume, ces anonymes et ces sans-grade retrouvaient leur dignité. Chaque vie devenait un destin.

Souvent, le disparu vivait dans un tel abandon qu'aucun proche ne se déplaçait à la cérémonie funéraire. Mon père tenait son discours face à un auditoire limité au service religieux et au président de la société de bienfaisance, M. Eugène D., vieil homme au regard doux, à la voix enveloppante, qu'il considérait comme son mentor. Lors de la mise en terre, mon père prononçait l'oraison funèbre d'une voix aussi fervente que si un long cortège se tenait face à lui, son hommage vibrait comme il aurait résonné dans la crypte du Panthéon.

La cérémonie terminée, Eugène D. et lui retournaient d'un même pas jusqu'à leur voiture, et le vieil homme délivrait toujours un commentaire sur l'allocution.

Enthousiaste : « Comme d'habitude, Lucien, bravo ! »

Ému : « Lucien, vous avez encore failli me faire pleurer. »

Dithyrambique : « Quelle plume, mon cher Lucien, on aurait cru Malraux ! »

Mon père revenait alors à la maison satisfait du devoir accompli. Mais quelquefois je l'entendais dire à ma mère, d'un ton triste et désemparé : « Jeannine, je crois que, cette fois, je n'ai pas été à la hauteur. Eugène ne m'a pas complimenté. » Il cherchait à comprendre les raisons de ce mutisme, tirait les pages de son discours de la poche intérieure de l'un de ses innombrables costumes trois-pièces que, jusqu'à la fin de ses jours, il n'a jamais cessé de porter, mettant un point d'honneur à rester élégant même lorsque la maladie l'ayant tant amaigri le faisait littéralement nager dans son pantalon et qu'il me murmurait, dans un sourire forcé : « Tu vois, fiston, il me semble que je l'avais acheté trop grand, celui-là. »

Assis sur le canapé, il parcourait ses lignes dans un murmure accablé. Ma mère prenait sa main avec douceur et le priait de lire à voix haute ; il s'agissait sans doute d'une méprise, Eugène avait dû aimer mais, dans la solennité de l'instant, il n'avait pas trouvé les mots pour le dire.

Mon père modulait ses effets comme si l'homme était enterré une seconde fois entre les murs du salon. De temps à autre, il s'interrompait, levait vers ma mère un regard interrogateur pour sonder sa réaction. Elle écoutait, concentrée, acquiesçant d'un hochement du menton à la fin de chaque phrase, consciente que de son degré d'enthousiasme dépendait la poursuite du sacerdoce paternel. Une fois la lecture terminée, elle marquait toujours un temps avant de lancer :

— Vraiment, Lucien, c'est parfait !

— L'émotion ?

— Elle y est.

— Peut-être ai-je fait trop long ?

— C'est la longueur qu'il faut pour une vie entière.

— Eugène n'a pas dit un mot. Ça ne lui ressemble pas.

— Peut-être était-il fatigué ?

— Tu crois ?

La veille de l'enterrement suivant, mon père s'attelait à la tâche avec plus de ferveur encore, il veillait tard, le nez plongé dans son vieux Larousse, cherchant le qualificatif le plus juste pour chaque terme utilisé. Certaines fois, il me donnait son texte à lire, se soumettait à mon jugement. Avec l'arrogance des garçons de vingt ans, je jetais un coup d'œil narquois sur ses lignes, et à la place de l'approbation attendue, je concédais un vague assentiment de la tête dont je n'imaginais pas combien il pouvait lui briser le cœur, puis lui rendais ses feuilles comme on tend une copie annotée *peut mieux faire*, me demandant comment il était possible de dépenser une telle énergie à œuvrer pour un mort.

Sur ta tombe, papa, je dois œuvrer à présent.

Le livre de mon père

Je viens d'avoir dix ans en ce printemps 1972 et nous sommes attablés autour du déjeuner face au journal télévisé de la première chaîne qui, en semaine, réunit la plupart des provinciaux devant le petit écran. En cette fin de matinée, ma mère a quitté son poste de directrice d'école pour nourrir mari et enfants avant de retourner à son travail une heure et demie plus tard, engageant une course contre le temps sans jamais rien laisser paraître du degré d'urgence et d'anxiété dans lequel cette cavalcade la plonge.

Le bruit de ses talons résonne à mes oreilles à l'instant où elle quitte la maison et lorsqu'elle y revient. Ce martèlement rythme le jour, étouffe le bruissement de tendresse que prodigue, le soir, le frottement de ses chaussons, pour répandre dans l'air un roulement de tambour. Je ne reconnais pas ma mère dans ce pas qui m'inquiète. La métamorphose s'opère entre les murs du dressing quand, chaussant ses escarpins, elle devient comme une étrangère qui va quitter le domicile familial et l'abandonner à jamais.

À chacun des jours de la semaine correspond un menu immuable dont la constance est censée lui faciliter la tâche, alternance subtile de poisson et de viande, de pâtes et de riz, de fruits et de légumes, dans un grand tout d'harmonie nutritive. Le lundi où elle doit assurer la surveillance de la cantine, ma mère prépare le déjeuner au petit matin, en laissant à mon père le soin de le réchauffer tout en exprimant la crainte qu'il peine à s'acquitter de cette seule mission. Mon frère et ma sœur, plus âgés que moi de six et quatre ans, profitent de l'aubaine pour déserter l'appartement. À midi, mon père, qui d'ordinaire met les pieds sous la table, pose le couvert avec une diligence de maître d'hôtel. Une serviette enroulée autour de son avant-bras, l'assiette au bout des doigts, il réclame mon attention, vante le déjeuner avec des qualificatifs dignes d'un trois-étoiles, dépose le plat devant moi et me propose de goûter. J'avoue me régaler. Il savoure l'instant. Pendant que nous mangeons, il me demande si je me rappelle l'avoir entendu raconter comment il a vu, à l'âge de treize ans, trente mètres au-dessus de lui, un bombardier américain larguer ses bombes sur l'artillerie allemande, ou comment, par amour pour ma mère, il a fait plier à lui seul le directeur de cabinet du ministre de l'Éducation nationale pour obtenir sa mutation auprès d'elle ou encore comment il a sauvé de la noyade les passagers d'une voiture qui s'était enfoncée dans le port de Villefranche après que le conducteur en avait perdu le contrôle. Je réponds chaque fois par la négative afin de l'encourager dans le récit d'une histoire entendue à maintes reprises mais dont je bois toujours les paroles avec le ravissement des premières fois.

Ce jour de fin de semaine où la famille est réunie autour du déjeuner, je rapporte de l'école un 8 sur 10 en rédaction. Le cahier de français ouvert devant lui, mon père exige le silence d'un tintement de fourchette sur son verre. Mon frère et ma sœur, les yeux au ciel ou le nez dans l'assiette, quitteront fort opportunément les lieux en prétextant un devoir à finir. Mon père commence à lire ma copie à haute voix :

— Une journée de vacances… *Quel titre prometteur, Laurent ! Le monde peut se raconter en un jour et les vacances sont propices aux grandes découvertes. Voyons l'entame du récit :* C'est dimanche aujourd'hui… *Quel début magnifique, tout est dit en trois mots ! C'est dimanche aujourd'hui et ça n'est pas lundi !*

— *Chéri, nous allons manger froid…* interrompt *ma mère.*

— *La littérature n'attend pas, Jeannine !…* Nous sommes allés à la plage… *Tu parles au passé, Laurent, c'est le temps du roman ou je n'y connais rien…* Nous avons pris la voiture… *Tu as le sens du mouvement, tu transportes le lecteur, voyons où tu l'entraînes…* Nous roulons dans une vieille

Mercedes que ma mère n'aime pas parce qu'elle est allemande... *Mêler la grande histoire à la petite, tu as tout compris !...* Mais mon père l'adore pour ses grands phares et son large capot qui brille au soleil. C'est cause de disputes... *Tu évoques les aléas de la vie de famille, les plus grands romans ne traitent que de ça...* Moi, je vomis toujours en voiture parce que la fumée de la cigarette de mon père me revient au visage lorsqu'il conduit... *Tu interviens enfin ! Et pour mettre ta souffrance au cœur de l'histoire, voilà le roman moderne en action !...* Mais quand je me plains, ma mère reproche à mon père de fumer. Ils se chamaillent à cause de moi, j'ai peur qu'ils ne divorcent par ma faute comme les parents de Vincent. Je préfère vomir en silence.

— *Tu vois dans quel état ta cigarette met ton fils ? intervient ma mère.*

— *Combien de fois vais-je te répéter que je veux arrêter, chérie ? Tu n'as qu'à essayer, toi qui es si forte !*

— *Comment pourrais-je essayer d'arrêter de fumer alors que je ne fume pas !*

— *Madame ne fume pas, la belle excuse ! Et ça va être ma faute, Laurent !*

— *Laisse le petit en dehors de ça.*

— *Tu as raison, poursuivons :* À la mer, nous nous sommes baignés puis on est repartis, il faisait grand soleil. Quelle belle journée d'été !... *C'est du Flaubert, petit, tu as l'art de la prose. Chérie, tu vois comme il manie le discours indirect !*

— *Je vois que si tu continues, il va être en retard ! Et moi avec !*

— *Donne-moi une minute, nous en sommes à la fin :* Le dimanche a passé vite. Sur le chemin du retour, j'ai encore vomi… *Tu termines sur une note dramatique, ô comme tu es doué, Laurent ! Cultive cette âme d'artiste et tu deviendras quelqu'un ! Allez, mangeons maintenant…*

Il n'importait pas tant à mon père que je devienne écrivain. Le métier d'homme politique ou d'acteur aurait tout autant comblé ses ambitions pour moi. L'essentiel était avant tout que je fasse entendre ma voix – et sans doute, par ma bouche, la sienne. L'entreprise n'était pas motivée par une quelconque quête de célébrité ou de fortune mais prenait racine dans sa propre enfance tout autant que ma vocation puisera dans la mienne. C'était une aspiration au devenir par procuration, qui voulait réparer l'arbitraire dont mon père s'estimait doublement victime : orphelin à sept ans des suites de la Grande Guerre, qu'il imputait aux ravages du nationalisme, et déchu de sa nationalité à douze, à Alger, relégué au rang d'« indigène de race juive » par le régime de Vichy. Son camarade de collège, Jacques Derrida, jalonna ses écrits autobiographiques de cette blessure en pointant la plaie jamais cicatrisée d'une adolescence algéroise meurtrie.

Convaincu qu'ignorance et haine allaient de pair, son indécrottable optimisme et sa foi en la nature humaine aidant, mon père rêvait de révéler à la communauté humaine, et pourquoi pas par mon intermédiaire, les splendeurs de ses racines, de professer les vertus du cosmopolitisme. Son métier d'enseignant le rendait optimiste sur le pouvoir de la transmission, son âme de poète lui laissait espérer dans la capacité d'une œuvre à réenchanter le monde.

Ses encouragements à m'engager sur la voie littéraire exaspéraient ma mère en venant contrarier ses propres ambitions à mon égard, visées, sans doute plus réalistes mais tout aussi ardues, de hauts sommets de gloire et d'horizons radieux, qui remontaient à une époque plus lointaine encore que les lubies paternelles. Alors qu'elle était enceinte, elle avait adressé à mon père une carte postale figurant un bébé joufflu au dos de laquelle elle avait écrit : « Voilà notre futur docteur ! »

Trente années durant, j'aurai tenté d'être le garçon sur la photo.

— Cesse de pousser ton fils vers des chimères ! s'emporte-t-elle contre mon père tandis qu'il referme mon cahier de rédaction.

— S'il devenait écrivain, il pourrait raconter l'histoire de l'oncle Victor…

— Écris-la, cette histoire, si elle t'importe tant !

— Moi, je me débrouille à l'oral, mais je n'ai pas le don pour l'écrit.

— Tu projettes tes propres frustrations. Tu vas lui mettre martel en tête.

Cette expression dont le sens m'est longtemps resté opaque laissait toujours planer dans mon esprit une sourde menace parce que je l'associais à la brutale toute-puissance de l'empereur des Francs.

— De quelle histoire de ton oncle veux-tu parler, papa ? je demande, intrigué par sa proposition.

— N'écoute pas, Laurent ! Ton père affabule.

— Et comment veux-tu que j'invente une histoire pareille ?

— Tu as de l'imagination à revendre.

— Ça n'est pas de l'imagination, c'est de la mémoire.

— C'est du pareil au même !... Et d'ailleurs, si cette histoire était vraie, pourquoi personne d'autre que toi ne s'en souviendrait ?

— La plupart des protagonistes sont morts. Les autres ont perdu la boule.

— Il y aurait une preuve, une trace de ce récit !

— Mon fils écrivain se chargera d'en laisser une.

— Mon fils médecin écrira sa thèse, des ordonnances et des articles scientifiques. Et je t'interdis de lui raconter les aventures de Victor ! Chacun sait que ton oncle était un mythomane ! Veux-tu encore un peu de viande, ou juste des spaghettis ?

— Je ne vends pas l'histoire familiale pour un plat de pâtes ! fulmine-t-il en se levant de table.

Ma curiosité à son comble, je tente de retenir mon père, l'implore d'en dire plus. Il s'écrie depuis le couloir :

— Demande à ta mère ! Moi, je suis comme l'oncle Victor, un mythomane !

Je n'ose plus prononcer un mot. Les propos entendus, l'excitation du repas me laissent dans un état de tension où se mêlent parfum de mystère et goût de l'interdit. Je me tais quelques instants avant de demander :

— Maman, c'est quoi un mythomane ?

— Ce n'est rien, Laurent ! répond-elle fermement. Et cesse de toujours te poser des questions, tu vas te mettre martel en tête !

Mon père revient bientôt dans la pièce. L'air résolu, il se poste face à nous et avertit :

— C'est à lui de choisir !

— Mais de quoi parles-tu ? s'écrie ma mère.

— Entre la médecine et la vie d'artiste ! Il n'a qu'à choisir !

— À dix ans ?

— Ce gamin est précoce… Laurent, dis ce que tu préfères.

Je reste sans voix, songeant au dilemme de mon ami Vincent contraint de choisir avec lequel de ses deux parents il doit vivre.

— N'écoute pas ton père ! ordonne ma mère, l'air consterné. File te brosser les dents, tu vas être en retard à l'école.

Le soir même, mon père entre dans ma chambre. Il me fixe avec, dans les yeux, une lueur de détermination semblable à celle qui précède l'aveu des grands secrets.

— Maintenant, puisque ta mère n'entend pas, et bien qu'elle ait toujours peur que tu ne deviennes triste pour un rien, je vais te révéler l'histoire de mon père, qui vient avant celle de mon oncle. Tu veux ?

La légende des Seksik tenait en trois phrases.

Le père de mon père, Albert Seksik, un petit cordonnier de Sétif, était revenu des tranchées de 14, victime des gaz moutarde allemands, presque aveugle et malade des bronches.

Cet homme, diminué, qui continuait de s'atteler à son travail, glissait chaque matin une pièce de cinq sous dans une soucoupe au chevet du lit de son jeune fils.

Le jour où il est mort, il avait déposé la pièce.

L'aventure commune d'Albert Seksik et de son fils est la source de chagrin dans laquelle j'ai puisé au long des livres. Ce récit exprime en si peu de mots un tel flot d'émotion – l'infini de l'amour d'un père, le destin volé d'un fils – que j'espère toujours faire rivaliser un livre à venir avec ce roman de mon père. Le grand dessein des fils n'est-il pas de se hisser à hauteur de leur géniteur en prenant soin de les dépasser des épaules puis de traîner leur peine, le dos courbé, la tête basse, accablés de leur avoir survécu ?

Les histoires de Zweig, de Gary ou d'Einstein n'atteindront jamais à mes yeux en intensité la légende d'Albert dont la dernière pièce continue de tinter dans l'air du soir près d'un siècle après avoir résonné pour la dernière fois.

C'est la monnaie de cette pièce que j'ai tenté de rendre.

Le temps des adieux

Tu venais de fêter tes quatre-vingt-sept ans, cette ultime fois où je suis venu à ta rencontre avec l'esprit libre, incapable d'imaginer une fin à ton existence. À travers le hublot, je voyais encore l'éternité devant nous.

Ces jours précédant ta dernière hospitalisation, tu m'avais dit t'être plongé dans la lecture de Proust, avais confié être parfois fatigué par la longueur des phrases mais ravi de l'élan qu'elles insufflaient au roman. J'avais ironisé, oubliant que cette remarque venait d'un homme de ton âge, négligeant de saluer ton pouvoir d'émerveillement que le long cortège des décennies et des épreuves n'avait pas entamé. Le tragique des événements à venir rappellerait à l'ordre le fils indélicat.

En ce milieu du mois d'avril où tu vivais ton dernier printemps, je travaillais à mon histoire de Romain Gary considérée sous l'angle du père. Cet ouvrage serait le premier que tu n'allais pas lire, toi l'exigeant lecteur de tous mes écrits. Tu en avais aimé le thème qui nous ramenait des années en arrière quand, du balcon de l'immeuble niçois du 1, rue Roger Martin du Gard, derrière le lycée du Parc-Impérial, en contemplant la mer, nous admirions le splendide et clinquant dôme de l'église russe associée dans notre esprit au souvenir de l'écrivain.

Avec ce dernier roman, j'essayais de restituer la figure, tombée dans l'oubli, du père de Romain Gary. Le roman est aujourd'hui publié. Maintenant, c'est toi qui fais silence.

Le livre s'inscrivait comme une sorte de suite au *Cas Eduard Einstein*, autre personnage délaissé. Dans la famille Gary, le fils renie son père, dans la famille Einstein, le père renonce au fils. Au moins autant que les témoignages d'époque, deux photographies avaient contribué à l'écriture de ces livres, deux clichés comme des photos d'adieu saisies sur de grands sarcophages. La première montre le fils Einstein, sombre et absent, assis au côté de son père, éteint, vieilli, méconnaissable. C'est là l'instantané pris à l'hôpital psychiatrique de Zürich d'une ultime entrevue, point de fuite de deux destins. Le fils rejoint l'asile, le père part en exil. L'un chassé par le nazisme, l'autre entrant dans la psychose. Chacun la proie d'un grand délire.

La photographie des Gary, où père et fils marchent côte à côte sur un trottoir de Varsovie, ne délivre pas la même tonalité dramatique, mais exhale au contraire une douce sérénité. Les deux l'ignorent, c'est aussi l'heure de la dernière rencontre. Dix ans plus tard, au père le chemin des fours crématoires, au fils l'air de la liberté.

J'ignorais aussi, en commençant ce roman, que nous étions en train de vivre nos propres adieux.

Au début du mois d'avril, des menaces grondent sur ta santé. Tu es la victime de soudains et brefs accès de désorientation qui n'alarment pas ton généraliste, un docteur français émigré de longue date en Israël, dont le diagnostic incertain et l'intuition calamiteuse t'ont déjà, à deux reprises, conduit à l'hôpital dans un état grave mais que tu as continué à consulter, n'étant pas homme à retirer ta confiance pour si peu.

Lorsque, consentant à décrocher son téléphone, le docteur L.B. m'autorisait à lui faire part de mes inquiétudes, il affirmait contrôler la situation. Il minimisait les faits. Au milieu de nos conversations, je m'efforçais de glisser des éléments cliniques susceptibles de semer le doute dans son esprit sur la gravité de ton état. Je veillais toutefois à ne pas lui faire la leçon, prenais toutes les précautions oratoires pour ménager sa susceptibilité, me répandais en amabilités auprès de ce type détestable, au jugement inconsidéré, qui tenait ton avenir entre ses mains. Heurter son orgueil risquait de rompre le lien tendu à cinq mille kilomètres de distance, ta vie comme suspendue à un fil.

— Laurent, je t'ai dit et répété que les constantes sont normales ! s'emportait-il aussitôt, m'invitant à cesser de l'importuner. J'ai expliqué à ta mère que les résultats du scanner sont parfaits ! Je gère ton père, laisse-moi faire !

Une consœur neurologue, le docteur Hélène T., que j'avais tenté de faire intervenir depuis la France, proposait de s'entretenir avec lui. Il déclinait chaque fois, excédé par mon insistance :

— Écoute, Laurent, tu n'es pas le seul à avoir des soucis de famille. Mon fils a encore fait une fugue !

Je me mordais les lèvres. S'il coupait les ponts, tu tombais dans le vide.

Ce soir-là de mon arrivée, toi qui m'offrais toujours un accueil digne du retour du fils prodigue, tu ne m'attendais pas sur le pas de la porte. Assis et somnolent, la tête un peu ballante, tu ouvris à demi les paupières en entendant ma voix. Tes yeux avaient perdu leur éclat. Ta peau, plus grise que la cendre.

— Tu n'es pas content de me voir ? demandai-je, en tentant de masquer mon effroi.

— Pas content de te voir ? protestas-tu. Jeannine, tu entends ce que dit le petit ? Le plus heureux des hommes, oui !

Tu t'interrompis, l'air soudain hagard, ton regard dans le vague avant de te ressaisir et de demander :

— As-tu parlé au docteur L.B. ? Il paraît que tout va bien.

— Oui, tout a l'air d'aller parfaitement.

— Il a de gros problèmes avec son fils, je suis peiné pour lui, te désolas-tu en retrouvant ta pleine conscience, comme si, dans ton cerveau, le chaud soufflait après le froid.

Maman nous observait en silence, d'un air infiniment doux, dévastée par sa tristesse immense, elle contemplait l'étendue du naufrage, tout à sa confiance dans la science, regardant dignement l'homme qui ne l'avait jamais quittée disparaître sous ses yeux, son mari s'éloigner d'elle comme la mer se retire.

Elle tourna les talons vers sa chambre. J'ignorais si, dans la pénombre, elle avait remarqué mes yeux embués de larmes.

Le lendemain matin, je décidai de te conduire à l'hôpital afin de mettre un nom sur le mal qui te rongeait. Le taxi nous attendait devant la maison, le dénommé Avner, un quinquagénaire à la stature de boxeur et d'une affabilité sans bornes, qui, depuis des années, était à la fois le guide et le chauffeur de votre nouvelle vie. Devant moi, Avner t'avait toujours appelé *papa* sans que je sache s'il voulait, dans un français approximatif, signifier là « ton paternel » ou bien s'il avait fini par te considérer comme son propre père, toi qui possédais la faculté de te faire adopter par quiconque croisait ton chemin.

Par le passé, deux fois nous t'avions, Avner et moi, conduit aux urgences de l'hôpital central de Tel-Aviv, à un stade avancé de ton insuffisance cardiaque, mais sans que jamais ne soit entamée notre conviction que nous te tirerions d'affaire. Nous allions sans crainte, le cœur vaillant, sauver l'être qui nous était si cher, chevaliers dévoués à leur unique cause.

Le jour de ta sortie, nous te ramenions à la maison triomphants, heureux du tour joué au destin, portés par l'illusion qu'autant que les médecins nous t'avions sauvé la vie, chevaliers dévoués à leur unique cause.

Ce matin, pendant que je t'aidais à prendre place sur le siège avant, Avner scruta longuement ton visage. Son regard anéanti disait l'heure du dernier voyage.

Nous avons roulé en silence. Au bout d'une demi-heure, le véhicule s'immobilisa devant le bâtiment de l'hôpital. Nous te sortîmes de la voiture et Avner te serra contre lui. Sa longue étreinte est un adieu.

Dans la salle d'attente des urgences, plus animée qu'une fourmilière, flottait comme un nuage d'angoisse. Un homme se tordait de douleur sur son siège, un enfant au front entaillé pleurait auprès de sa mère, une jeune femme allongée sur un brancard, paupières closes et très pâle, tenait la main de l'homme qui la veillait comme un soldat dans sa guérite. Un vieux monsieur gémissait seul. Un médecin se fraya un chemin à travers l'assemblée, pas rapide, visage fermé, allure déterminée, insensible aux mains implorantes qui se tendaient vers lui.

Deux heures plus tard, un interne ouvrit le rideau du box dans lequel tu étais installé, allongé sur un brancard, perfusé, bilan sanguin et électrocardiogramme pratiqués. Les résultats des examens entre ses mains, il demanda si j'étais ton fils. Je précisai que j'étais médecin, il me jeta un regard noir.

— Et vous laissez votre père avec une telle insuffisance rénale ?

Je bafouillai que tu étais bien suivi, à peine huit jours auparavant, ton docteur m'avait certifié que le bilan biologique était satisfaisant. Au coin des lèvres de l'interne s'esquissa une moue ironique dont aujourd'hui, certaines nuits, je vois encore l'affreux rictus.

Nos retrouvailles

La jeune femme sur le siège à ma droite, brune d'une trentaine d'années, les yeux noirs en amande et les pommettes hautes, vêtue d'un jean sur lequel tombe un chemisier beige en satin, est plongée dans un livre, l'air absorbé, les sourcils froncés, tentant d'accoutumer son regard à la lumière incertaine de la cabine. Elle m'a demandé avant de s'installer si je pouvais l'aider à ranger son bagage, qui, à peine soulevé, a réveillé la douleur pinçant mes lombaires depuis des années. « Je sais, elle est lourde », a-t-elle soupiré d'un ton poli, une gaieté mutine éclairant son visage. Je niai avec une conviction un peu molle qui la fit éclater de rire.

Elle lit *La Montagne magique* et je l'envie d'être partie respirer l'air pur des sommets, voyager sur les traces de Hans Castorp dans le lent défilé des cimes et des contreforts. Depuis un an, excepté des classiques relus comme par devoir, je n'arrive pas à entrer dans un roman. Le charme n'agit plus, ma lecture ne m'offre qu'un interminable catalogue de paysages sans âme aux décors de pacotille et d'êtres sans chair, délivrés de leurs souffrances, figés dans leurs mouvements, leurs pensées insondables, leurs actes arbitraires. Un personnage monte dans un train, je reste à quai. Un couple s'entre-déchire comme on se dit bonsoir avant d'aller dormir. Tous les amours sont possibles, les désirs assouvis, les faiblesses vaincues d'avance. Devant moi se succède une lente suite de mots sans magie, incapables du moindre écho, impuissants à traduire une idée, impropres à délivrer un sens. Alignement de paragraphes comme transcrits par une plume exsangue, d'où aucune clarté ne tombe, aucun chant ne s'élève, aucune douleur ne s'imprime, aucun monde ne se dessine, aucune vérité ne surgit. Je tourne les pages d'un geste d'automate, étranger à celui qui parle. Je crois avoir perdu le goût de lire le jour où j'ai perdu mon père.

Ma voisine détache l'élastique nouant son chignon pour secouer sa chevelure d'un geste plein de grâce, puis relève la tête dans ma direction et demande si je connais la durée précise du trajet. Je réponds quatre heures trente ou cinq heures, cela dépend de la force du vent.

— Du vent ? s'exclame-t-elle, incrédule. Comment savez-vous cela ?

J'explique sans détailler les raisons de ces allers et retours avoir, l'an passé, emprunté ce vol à de nombreuses reprises.

Elle confie visiter Tel-Aviv pour la première fois. Elle y retrouvera des amis dont l'enthousiasme envers ce pays contraste avec les propos négatifs qu'elle entend habituellement. Elle veut se faire une idée par elle-même, elle est curieuse de nature. Et vous, pourquoi voyagez-vous ?

— Mon père, avoue-t-elle après que j'ai répondu à sa question, je ne voudrais même pas savoir où il sera enterré quand il sera mort.

C'est l'être qu'elle déteste le plus au monde, un type sans foi ni loi, qui s'est comporté de façon autoritaire et brutale avec sa mère, avec sa sœur et avec elle, et qui martyrise aujourd'hui sa seconde femme et ses deux autres enfants.

— Des types pareils, ça ne devrait pas se reproduire ! ajoute-t-elle avant de s'interrompre, comme si elle s'était laissé entraîner trop loin dans la colère. Nous ne nous sommes même pas présentés...

Elle me tend une main, avec un air un peu espiègle qui semble vouloir effacer l'impression qu'aurait pu laisser son emportement.

— Je m'appelle Sandra, Sandra Gauthier...

Elle travaille à Paris, dans le onzième, clerc dans un office notarial.

— Office Germond, Pratier, Olivent, Granger, transmission de patrimoine, droit des sociétés, droit des affaires, fiscalité immobilière, crédits-bails, vente et prêts, détaille-t-elle, un sourire au coin des lèvres.

Mon nom ne lui est pas inconnu, elle a entendu parler des *Derniers Jours de Stefan Zweig*.

— Mais je ne l'ai pas lu. Je dois vous avouer que, contrairement à la plupart des gens, je n'ai aucune tendresse pour Zweig. Je ne suis sensible ni à son écriture ni à son univers. Et le fait qu'il se soit donné la mort dans un coin perdu du Brésil n'en fait pas pour autant un bon écrivain, pas plus qu'un héros ou un lâche d'ailleurs. Quitte à vous choquer, quand je le lis, j'ai l'impression de revoir en boucle *Sissi Impératrice*. Ces personnages *follement* désespérés, *passionnément* amoureux ! Ses nouvelles sentent la naphtaline. Quant aux biographies… sa *Marie-Antoinette*, c'est Bernadette Soubirous. Excusez-moi si je vous semble un peu excessive, ma sœur me répète sans arrêt que c'est mon plus gros défaut. Mais vous, pourquoi vous êtes-vous intéressé à Zweig au point de lui consacrer un livre ?

J'explique que ma passion pour le Viennois remonte au début des années 1980, quand les écrits de Zweig commençaient à être republiés, sortis du purgatoire où le nazisme les avait relégués.

— Au début des années 1980, je n'étais pas encore née, lance-t-elle en refermant son ouvrage, comme si elle venait à l'instant de décider que la conversation valait d'interrompre sa lecture, avant de me demander où je me trouvais à cette époque.

— Sur les bancs de la faculté.

— La faculté de lettres ?

— De médecine… Je suis médecin.

— Et vous dévoriez Zweig entre deux cours d'anatomie ?

— Disons que cette lecture me tirait de mon désœuvrement.

— Comment peut-on être désœuvré en étudiant la médecine ?

— Allez savoir…

— Racontez… Je vous ai dit que j'étais curieuse !

Cette année-là de mes vingt ans, je traînais mon ennui dans les amphithéâtres. Je n'éprouvais aucun attrait pour les leçons de chirurgie et de médecine. L'énumération des marqueurs du cancer, des signes électrocardiographiques de l'angor ou des anomalies biologiques de la cirrhose me laissaient absolument froid. Je m'efforçais toujours vainement de me montrer attentif à cette longue procession d'heures de cours, me sentais coupable de ne trouver aucun intérêt dans l'enseignement des professeurs alors que mes amis y puisaient des trésors de curiosité. J'observais jalousement mes voisins qui paraissaient prendre un plaisir aussi soutenu à reproduire les contours du pancréas qu'un élève des Beaux-Arts les courbes de son modèle. Endossant la blouse blanche, il me semblait revêtir un déguisement de pompier. Les séances de dissection me laissaient gagné par l'écœurement, saisi de compassion devant l'alignement des cadavres livrés à l'humeur des carabins. Leurs anciens pensionnaires imaginaient sans doute un sort plus honorable lorsqu'ils avaient décidé d'en faire don à la science. Ces chairs squelettiques qui s'offraient à la dissection n'éveillaient en moi aucune prédisposition particulière, ni aucun enthousiasme. J'éprouvais une gêne maladive à y enfoncer mon scalpel, accomplissant ce geste à regret, contraint par quelque assistant pointilleux, rétif à ma réserve, me traitant de *type sentimental*, comme s'il s'agissait là de la pire insulte, et incapable d'imaginer que l'on puisse considérer le métier de chirurgien autrement que comme le graal d'une vie. Je bachotais en vue des examens, ma mémoire pour seule alliée. Quand mes camarades aspiraient à guérir la planète, je m'évertuais seulement à soigner ma neurasthénie. Le matin, devant la glace, je peinais à reconnaître le lycéen débordant d'ardeur et de passions que j'avais été quelques années auparavant, qui espérait changer le monde et rêvait de croiser l'amour à chaque coin de rue. À vingt ans, j'ai abandonné mes rêves. En empruntant le droit chemin, je m'étais mis dans une impasse.

Ma voisine me dévisage d'un air un peu déçu, comme si je venais de briser un morceau du mythe.

— Mais pourquoi avoir choisi cette voie, alors ?

— Ce serait trop long à expliquer.

— Nous avons tout le temps… Moi, j'aurais bien aimé faire médecine. Mais je n'avais pas le niveau en maths pour le concours de première année. Ce qui est une aberration, n'est-ce pas ? On n'est pas meilleur médecin parce qu'on est fort en calcul mental ! Mais, même si j'avais été une matheuse, je n'aurais pas choisi cette voie-là pour autant parce que j'avais peur.

— La vue du sang ?

— Non, le sang, je m'en moque depuis qu'à huit ans ma sœur m'a cassé le nez en me lançant une poupée à la figure. Elle jure encore aujourd'hui que c'était un accident. Vous pouvez y croire, vous, que l'on balance une poupée sur sa sœur par accident ? Ma mère a pris fait et cause pour elle, pour cette histoire comme pour chacun des conflits qui nous ont opposées, tout en certifiant qu'elle ne choisira jamais entre ses deux filles. Mais elle choisit, elle choisit tout le temps, et elle la choisit toujours ! Une fois, elle m'a avoué éprouver une tendresse particulière pour Chloé parce qu'elle la sentait plus fragile. Plus fragile ! On voit que ça n'est pas elle qui a reçu une poupée en pleine face… Pour en revenir à la médecine, je n'ai pas voulu me lancer dans ces études parce que côtoyer la mort m'effrayait. Je suis capable de pleurer devant le journal de

20 heures, alors accompagner un patient jusqu'à son dernier soupir… Mais peut-être que je me suis fait des idées ? Peut-être que la mort d'un inconnu vous laisse froid ?

Elle se nommait Mme Boyer, la première patiente qui est décédée sous mes yeux, et, parmi la foule de silhouettes croisées dans les couloirs et les chambres des hôpitaux, je distingue encore la lueur inquiète de ses yeux, la peau parcheminée de son front, son visage mélancolique et las qui s'éclairait à la moindre gentillesse que vous lui adressiez. Elle avait été admise dans le service de réanimation, au stade terminal de son insuffisance cardiaque.

Alors que je l'examine à son arrivée dans le service, je l'entends dire d'une voix étouffée :

« Ne vous faites pas de souci, jeune homme, j'en connais un brin sur ma maladie, je vous aiderai si le professeur vous interroge. Si je peux me permettre un conseil, profitez vite de mon expérience : je ne vais pas durer longtemps… Oh, comme je vous envie. Avoir la vie devant vous. Évidemment, vous ne réalisez pas ! À votre âge, on croit avoir le temps… Vous savez, moi aussi, j'ai été jeune. À vingt ans, j'avais un corps splendide ! Et regardez ce qu'il en reste… »

Au fil des jours, son état de conscience s'altère, ses heures d'éveil se raréfient, son souffle se fait plus haletant, ses poumons noyés sous l'œdème que des batteries de perfusions s'avèrent impuissantes à juguler. Posant le stéthoscope sur son cœur, j'entends d'interminables pauses, peuplées de silences de l'au-delà.

Je la découvre, un matin, somnolente, paupières closes, dans un semi-coma, mais je n'ai encore jamais vu quelqu'un trépasser devant moi. Parmi les centaines d'heures de cours dispensés à la faculté et qui embrassent l'horizon des maladies les plus rares, pas une seule n'est consacrée à la pathologie ultime. Aucun professeur n'a expliqué ce qu'il convenait de faire en présence d'un malade en train de succomber. L'enseignement glorifie les avancées de la science sans s'étendre sur ses échecs, sinon par quelques propos sibyllins survolant les déconvenues et les revers de la médecine victorieuse. Lorsque la fille de Mme Boyer vient, rongée d'inquiétude, me demander des nouvelles de sa mère, je la rassure, lui recommande avec la plus parfaite sincérité de ne pas s'inquiéter. « Ce mauvais pas est passager », j'explique, très sûr de moi et d'une absolue bonne foi, puisque dans ma mince expérience vierge de tout décès, toutes les femmes guérissent, tous les hommes survivent. La fille de ma patiente secoue la tête, incrédule. « Votre mère sera tirée d'affaire dans quelques semaines, un mois, tout au plus. » Son visage s'illumine. « Vous êtes sûr ? » Elle manque de tomber dans mes bras. Je persiste et je signe. Elle s'éloigne dans le couloir, le pas léger, l'air enjoué. Auprès de l'interne du service qu'elle croise un peu plus loin, je l'entends chercher la confirmation de mes dires. La joie qui l'irradiait disparaît instantanément, elle baisse les yeux face à un interlocuteur qui, avec une expression de colère rentrée, pesant chacun de ses mots, s'empresse de la ramener à l'implacable réalité. En quittant le service, elle me lance un regard accablé où ne luit aucune trace de rancune. Elle marche vers son malheur d'un pas traînant, la tête basse.

Trente-cinq ans plus tard, semblable épreuve me sera imposée avec mon père. Un étudiant d'un pareil optimisme et d'une semblable incurie m'offrira les mêmes chaleureux encouragements. L'éphémère embellie avant la douche froide.

Le lendemain, jour de grande visite, le patron ne s'attarde pas auprès de Mme Boyer. Il pose un regard navré sur la radiographie du thorax, tient un bref aparté avec l'interne, entraîne la troupe qui l'accompagne vers le lit suivant. Une fois la visite terminée, je retrouve l'interne au chevet de la vieille dame. Il pousse avec une lenteur calculée le contenu d'une seringue dans une perfusion. J'empaume la main de la patiente inconsciente pour lui donner du courage. Alors que l'injection se poursuit, l'alarme du scope émet un son prolongé. « On la perd ! Stoppe ton injection ! » je m'écrie. L'interne, impassible, achève de vider sa seringue. Le tracé sur le scope laisse bientôt défiler une ligne droite continue. « Elle meurt, fais quelque chose ! » j'implore, incapable de penser l'inimaginable. L'interne pose la seringue, me jette un regard noir, recouvre le visage de la morte d'un coin de drap et quitte les lieux. Je tiens au creux de ma main celle encore tiède de Mme Boyer.

— Finalement, j'ai bien fait de ne pas choisir médecine… lâche ma voisine, un peu amère. Allez, parlons d'autre chose, s'il vous plaît. Je préfère encore que l'on en revienne à votre découverte de Zweig.

Dans ce grand krach de jeunesse, où s'abîme ce qui est censé être le plus bel âge de ma vie, je m'accroche à l'ambition de devenir écrivain, à l'espoir d'une publication prochaine qui pourrait me sauver de l'avenir qui m'est promis. J'écris le jour, j'écris la nuit, entre et pendant les heures de cours. J'écris déjà des histoires médicales, ou bien des histoires juives, des histoires de jeunes médecins juifs cherchant le salut dans l'écrit. Je rédige, à la va-vite et plein d'ardeur, des romans au lyrisme exacerbé et aux accents de confession. Je me sens l'âme d'un écrivain. Je reconnais mes frères d'armes en regardant religieusement la grand-messe littéraire télévisée animée par Bernard Pivot le vendredi soir. Peu m'importe que les manuscrits que j'adresse aux éditeurs enchaînent les refus. Ma maturité littéraire sera peut-être comme ma puberté, elle adviendra tardivement.

À cette époque, je rencontre Magali, une jeune femme de passage sur la Côte d'Azur, dont la mère, Claudine Vegh, éminente psychanalyste, a publié aux éditions Gallimard un ouvrage sur les enfants de la Shoah, *Je ne lui ai pas dit au revoir*, postfacé par Bruno Bettelheim. Nous vivons une idylle entre Paris et Nice que la distance délite peu à peu jusqu'à ce jour où, sur la route de l'aéroport, elle me tend un livre en guise de cadeau de rupture. C'est son baiser d'adieu.

Dès les premières lignes de la préface du *Monde d'hier* – sans doute parmi les plus belles pages jamais écrites par Zweig –, je suis happé par sa vision de l'Histoire, enfiévré par la ferveur ardente et l'exaltation maîtrisée du texte, renversé par son rythme, sa mélodie et sa précision. La mélancolie du Viennois parle à ma tristesse. Son épouvante résonne à l'unisson de cette inquiétude naturelle héritée de ma mère et que j'aurais, à choisir, volontiers troquée contre l'allègre insouciance paternelle.

Je suivrai par la suite le rituel de tous ceux qui ont aimé leur premier ouvrage de Zweig, dévorerai les quelques nouvelles publiées alors dans la collection « Cosmopolite » de Stock, avalerai les biographies, mais, élément plus singulier, poursuivrai par la lecture compulsive du millier de pages de son exceptionnelle correspondance. J'y découvrirai l'exil, l'impuissance, la misère et la fuite, sans fard et plus douloureusement décrits que dans *Le Monde d'hier* où la pudeur de l'auteur, son détachement nostalgique d'homme n'attendant plus rien de l'existence subliment jusqu'aux jours les plus terribles. Je continuerai par les – très médiocres – pièces de théâtre et commencerai, moi qui n'ai pas le tempérament du collectionneur, à chercher chez les bouquinistes ses livres dans leur édition originale, comme rescapés des bûchers des autodafés de 1933. Mon premier salaire d'interne des hôpitaux passera dans l'achat d'un ouvrage dédicacé de sa main, à l'encre violette. Lorsque j'ai vingt-cinq ans, en 1987, ma bibliothèque est devenue un mausolée de Zweig.

— Vous ne m'auriez certainement pas plu à cette époque ! ironise ma voisine sur un ton gentiment taquin. Mais moi, si je savais écrire, au lieu d'être hypnotisée par le passé et de ressusciter les cas désespérés, je ferais travailler mon imagination. De nos jours, les écrivains ne savent plus quoi inventer. J'en ai soupé des biographies romancées et des exo-fictions, l'histoire de M. X. qui avait manqué d'assassiner Staline ou de Mme Y. ayant vécu dans l'ombre de son génie de mari. Je ne veux plus entendre parler de *romans vrais*. Je n'aime que les vrais romans… Désolée si je m'emporte encore pour rien.

Elle reste un moment silencieuse, le regard dans le vague, l'air pensif et soucieux, avant de déclarer d'un ton d'incompréhension :

— Dire que vous traversez la Méditerranée pour vous recueillir sur la tombe de votre père, alors que je me suis juré de ne plus revoir le mien vivant… Vous n'avez jamais ressenti de la haine envers votre géniteur ? Ça n'est donc pas vrai que les fils veulent tuer le père ?

Mon père est en train de gronder le petit garçon d'alors. J'ai oublié la raison de sa colère, sans doute n'ai-je rien commis de très répréhensible – j'ai toujours été un enfant sage, avide de bons points et d'images, gamin respectueux à qui les bulletins scolaires reprochaient seulement un léger manque d'attention, un caractère un peu fougueux. J'attends stoïquement, les yeux baissés, que mon père ait fini de me réprimander, m'efforçant de retenir mes larmes dans un vaillant effort qui est une manière de réprobation autant qu'une manifestation de dignité dans l'adversité, avant de quitter la pièce pour exploser enfin en sanglots dans ma chambre, une fois seul. Sur mon lit cependant, mon chagrin laisse rapidement place à l'inquiétude. Aussi étonnant que cela puisse sembler, j'ai peur pour mon père. Je tremble qu'il ne lui soit arrivé quelque chose par ma faute. Et si, emporté par sa colère, il avait fait un malaise ?

Dix minutes auparavant, son index menaçant m'effrayait. Maintenant je tremble pour lui. Je regrette de l'avoir fait souffrir en lui imposant cette épreuve, cris, menaces contre moi qui, pensais-je, allaient à l'encontre de sa nature bienveillante. Je crains de l'avoir offensé et que la plaie n'ait rouvert une ancienne blessure. Un de mes propos, quelque chose d'injurieux dans mon attitude ont peut-être terrassé le colosse. J'appréhende ce silence installé dans l'appartement après que sa voix a tonné, je redoute qu'il n'augure un événement dramatique. Je colle l'oreille contre la porte en essayant de repérer un fragment, une preuve de vie, priant le ciel pour que rien de définitif ne se soit produit. Le bruit de la radio se fait soudain entendre, je quitte la chambre, rasséréné, traverse le couloir à pas de loup, parcours d'un regard encore inquiet le salon. Je découvre mon père assis sur le canapé, je crois qu'il fait des mots croisés. Je vais l'embrasser, l'esprit apaisé, la conscience tranquille. Il glisse une main dans mes cheveux. « Cesse d'être toujours si anxieux, Laurent, tout ça est oublié, tout ça n'est pas très grave. » Je retourne dans ma chambre, soulagé et heureux comme s'il venait de m'être épargné de vivre une terrible catastrophe.

— Enfin, c'est inimaginable ! Mais de quoi vous sentez-vous coupable ? s'exclame ma voisine en me dévisageant comme si je venais d'une autre planète. Vous ne vous êtes donc jamais révolté ? Vous ne lui avez jamais dit merde à votre père ?

Il avait toujours été exclu de prononcer un mot grossier à la maison, d'après une règle non écrite, et sans doute même jamais énoncée, tradition qui proscrivait les obscénités et incarnait une manière de politesse autant qu'une vision idyllique du respect de la langue française.

Incapable de transgresser l'interdit, j'entendais mes camarades s'injurier à tout-va, envieux de leur liberté d'expression, jaloux de leur vulgarité assumée, quand, un jour de l'année de cinquième, un ami me mit au défi de hurler une insulte. Je chuchotai à contrecœur un craintif « salopard ! », convaincu que mes parents allaient surgir du coin de la rue pour m'enjoindre de retrouver le droit chemin. Mon camarade m'encouragea à donner de la voix, je criai un peu plus fort puis arrêtai les frais, certain d'avoir atteint le summum de mes capacités comminatoires. Au fil des mois, comme on s'essaie à un nouveau sport pour lequel on ne possède aucune aptitude, je décochais de temps à autre quelques injures, algarades poussives et embarrassées, qui tombaient toujours à côté de leurs cibles et n'égalaient jamais le degré de sincérité, d'audace et de trivialité jubilatoire qu'elles dégageaient, proférées par mes amis.

J'ai dit merde à mon père, une fois, une seule, en une vie entière, à vingt-cinq ans, le jour des résultats du concours de l'internat des hôpitaux, examen que j'avais passé avec l'espoir qu'à l'instar de mes futurs confrères, la spécialisation et l'exercice hospitalier m'empliraient de l'orgueil légitime de remplir la plus noble des missions, chasseraient mes velléités artistiques en occupant mon esprit vingt-quatre heures sur vingt-quatre, feraient de moi un homme neuf, lavé de ses doutes, ayant expurgé de son tempérament le sentimentalisme qui l'encombrait. Peut-être pourrais-je prétendre à une vie saine, pleine d'enfants sages qu'une jeune dermatologue sensible au prestige de la blouse et au discret parfum d'exotisme de mes origines me donnerait, m'entraînant vers des rivages heureux, horizons de douceurs et de charmes que sa seule présence dispenserait jour après jour. J'imaginais déjà nos conversations, les soirs d'hiver, harassés autant que satisfaits après une journée de consultations. Une fois nos trois enfants couchés, nous dînerions en tête à tête, nous racontant par le menu l'histoire de nos patients respectifs, redressant ici un diagnostic, corrigeant là un traitement. Après avoir terminé cette visite virtuelle de nos malades, ma femme se levait de sa chaise, tendait une main aux doigts longs et fins, aux ongles soigneusement vernis pour m'attirer dans notre chambre en me promettant le repos mérité du guerrier.

C'était une autre vie.

Le jour des résultats du concours, point d'orgue de trois ans de sacrifices, le coup de téléphone d'un ami m'informa de ma réussite. Au lieu de me réjouir, la nouvelle me laissa sonné. Je réalisai subitement la signification de ce succès que l'attrait du défi avait jusque-là masqué – comme on peut passer une vie entière à franchir des obstacles que l'on a soi-même disposés en travers de sa route. Je mesurai à cet instant seulement vers quelle voie indésirée je m'étais engagé – j'en avais repris pour quatre ans ! En reposant le combiné, au lieu de sauter de joie, j'avais envie de me cacher sous terre. « Tu as échoué à ton concours ? » s'inquiéta mon père devant mon air consterné.

C'est alors que je lançai un « Merde » retentissant, qui était davantage un Merde à la vie qu'une injure à son intention mais qui l'abasourdit avant qu'il ne quitte la pièce médusé, démuni plus qu'irrité, peiné de ne pouvoir saisir les ressorts du drame clandestin qui se jouait dans la tête de son fils.

— Mais pourquoi ne pas vous être ouvert à lui ?

— J'avais honte de ne pas me réjouir de mon succès, de me montrer abattu quand les autres exultaient. J'étais triste aussi d'avoir gâché la joie que mon père aurait pu partager avec moi. J'ai toujours redouté de blesser celui qui me paraissait plus fragile que je ne l'étais.

— Vous savez qu'il y a d'excellents psys pour les bons fils comme vous…

Il avait perdu son père trop jeune pour savoir ce que la figure paternelle avait de rude, d'écrasant, de mystérieux et de flamboyant. Je lui pardonnais tout au nom de son histoire. Les tourments de sa propre enfance m'accablaient de compassion et d'empathie, désamorçaient toute révolte. L'amour filial l'emportait sur l'instinct de l'homme.

Il n'avait, à sa décharge, jamais ressassé sa douleur d'orphelin, cherché l'apitoiement ou utilisé son malheur dans le commerce des sentiments. Ni mon frère ni ma sœur ne se souviennent d'avoir jamais entendu l'histoire du sou dans la soucoupe, ou sinon d'une oreille distraite, comme tout enfant s'interdit de prêter attention à la fastidieuse rengaine de la légende familiale. Bien plus tard, mon père lui-même s'étonna que, quarante ans après qu'elle me fut rapportée, je l'eusse encore si parfaitement à l'esprit. Cette histoire n'était pas tombée dans l'oreille d'un sourd, mais dans celle d'un gamin frappé d'un autre handicap – le goût des histoires tristes.

— Ce père si aimant, comment réagissait-il en vous voyant vous fourvoyer dans ces études de médecine qui, à vous entendre, étaient si peu faites pour vous ?

— Il avait la tête ailleurs.

À mes dix-huit ans, il abordait la cinquantaine. « Je suis sur la pente descendante », soupirait-il. De cette période ne subsistent que peu de souvenirs de lui, comme s'il s'était absenté de ma vie pour y revenir en force quelques années après. Il m'a bien plus tard confié avoir traversé à cette époque une dépression, affection qu'il avait si habilement dissimulée qu'aucun membre de la famille n'avait remarqué chez lui la moindre pointe de mélancolie. Je constatais alors simplement que ce brillant cruciverbiste qui avait toujours fait preuve d'une rigueur absolue dans le choix de son vocabulaire cherchait parfois ses mots. Il utilisait à tout propos le vocable *chose*, tic de langage qui lui valait les railleries de son entourage, aveugle à ce que cette manie cachait de vertiges et d'affliction. Il manifestait sa souffrance par ce seul indice : il ne trouvait pas le mot juste, il s'égarait en son royaume. Nous nous aperçûmes un beau jour, ravis et soulagés, que ces *choses* avaient disparu de ses phrases. Il avait retrouvé le goût de vivre aussi subitement que certains malades l'ayant perdu sans raison recouvrent le sens de l'odorat.

— Mais comment réagissait-il en vous voyant sombrer sur les bancs de la faculté ?

— Il compatissait, comprenait que je sois triste, redoutait de n'avoir pas su m'empêcher de m'égarer sur une mauvaise voie, se reprochait d'avoir été ailleurs quand il s'agissait d'être là, à l'heure des choix décisifs d'une vie. Il tentait de me consoler en me vantant la satisfaction d'être médecin, même un médecin malgré lui. Il promettait que l'exercice finirait par me plaire, égrenait la liste des prestigieux médecins-écrivains. On pouvait exercer et briller en ces deux domaines. Cela m'attristait d'être une source de préoccupation pour lui. J'avais l'impression d'en rajouter. Je ne voulais pas qu'il s'inquiète pour si peu.

— Votre avenir tout de même...

— Il m'affirmait que je pouvais abandonner si cela devenait trop douloureux. Il se chargerait de l'expliquer à ma mère.

— Parce que votre mère aussi pesait dans vos choix ?

— Pour elle, avoir un fils médecin était une vocation de famille.

— Écrivain par votre père, vous êtes docteur par votre mère ? Je croyais qu'il n'y avait que la religion qui se transmettait ainsi chez vous.

— Vous commencez à comprendre...

— Certaines choses en lui devaient tout de même vous excéder !

— Des tas. Comme elles exaspéraient l'ensemble de la famille.

Il parlait haut et fort, à tort et à travers, se sentait chez lui à l'endroit où il posait le pied, effrayait par son aisance ce qu'il y avait d'intimidé en nous, était d'une absolue mauvaise foi, ne prenait aucune règle au sérieux, se moquait de la plus élémentaire ponctualité, se fichait royalement de nous faire débarquer au dessert à un repas de famille, manquer le *oui* de la mariée à une cérémonie nuptiale ou le début d'un film au cinéma. À l'aide de sa faconde hors pair, de son allure séduisante et toujours impeccable de Marcello Mastroianni séfarade, sans le moindre accent pied-noir qui aurait pu le disqualifier auprès de certaines, il flirtait pour le plaisir, la plupart des femmes tombant sous le charme. Malgré des fins de mois difficiles, il avait une ardoise de milliers de francs dans la boutique où il se fournissait en costumes et d'où, chaque samedi après-midi, il rapportait à ma mère un nouveau sac, un manteau, non sans avoir précisé que M. Meyerson lui avait, en sus d'une impressionnante ristourne, offert une cravate qui allait aussitôt rejoindre une armoire remplie d'accessoires présentés comme des trophées de chasse, preuves *qu'on ne la lui faisait pas et pas même M. Meyerson* ! S'il avait le sens de l'amitié, de la repartie, de la fête, il n'avait aucunement celui des affaires, dilapidait son argent en cadeaux, pouvait se laisser convaincre de changer les meubles d'une cuisine entière par n'importe quel vendeur de foire pour peu que celui-ci fasse preuve d'attention et de chaleur humaine – et chaque fois, il avait l'impression d'avoir un nouvel ami pour la vie. Après qu'il se fut ruiné dans l'achat de deux vieilles Mercedes achetées à crédit, affichant cent vingt mille kilomètres au compteur et dont le moteur avait rapidement lâché, un certain M. Barnon, concessionnaire exclusif de la marque Lancia dans le Sud, dont nous apprîmes beaucoup plus tard qu'il avait fui le pays recherché par la police, parvint à lui refourguer une succession de Lancia aux couleurs et aux formes les plus extravagantes, dont mon père était sans doute l'unique propriétaire en France et dans lesquelles nous montions pétris de honte.

Le plus rude était l'insatisfaction chronique dont il souffrait, qui était projetée sur ma propre personne, et qui se prolongea jusqu'à l'âge de *mes* cinquante ans.

« Papa, je vais publier un prochain roman en septembre.

— C'est bien, Laurent... Mais la pièce de théâtre, as-tu fini de l'écrire ? C'est important de ne pas rester prisonnier d'un genre, de se diversifier.

— La pièce est pour janvier, papa.

— Parfait. Que tout cela ne te tourne pas la tête, non plus. La vie d'artiste c'est magnifique mais c'est la médecine sur laquelle tu pourras toujours compter. Je ne me fais pas d'inquiétude, je sais que tu es un garçon raisonnable. »

Il utilisait cette curieuse expression lorsqu'il me conseillait de poursuivre l'exercice médical ne serait-ce que quelques jours par semaine : *Garde une poire pour la soif.* Je m'appliquais, dans le défilé d'heures moroses, à interpréter du mieux possible une succession de planches de scanner et d'IRM, effaré par la crainte que la moindre erreur puisse être mise sur le compte de ma passion littéraire et avec, à l'esprit, une poire en guise de lanterne.

Mon père comptait cette avalanche de défauts, mais il possédait une qualité qui, à mes yeux, balayait tous ses travers, imposait le respect, forçait l'admiration : une façon de se tenir droit en toutes circonstances.

— C'est proprement ahurissant, cette adoration réciproque ! Heureux le père qui a su se faire aimer comme cela par son fils…

Nous vivions dans une sorte d'émulation, un peu comme si nous concourions ensemble pour le César du Meilleur Rôle dans un Film familial, lui dans la catégorie du Père modèle, moi dans celle du Fils parfait. Un soir, après qu'il m'eut prié de le rejoindre dans le salon au prétexte qu'une surprise m'y attendait, je le retrouvai posté devant la bibliothèque.

L'index pointé en direction des étagères, il me demanda si je remarquais quelque chose. Je constatai que les livres venaient d'y être rangés par ordre alphabétique. « Rien d'autre ? » insista-t-il. Un nouvel examen des rangées d'ouvrages ne me fit rien observer de particulier. « Regarde, là... », s'exclama-t-il d'un ton facétieux, indiquant un grand espace vide sur l'étagère du bas.

À la lettre S, entre les livres de Philip Roth et ceux d'Isaac Singer, il avait ménagé une place pour mes futurs romans...

Chaque début d'automne de ces années d'études, j'entamais la rédaction d'un manuscrit que j'achevais à la fin du printemps avant de l'adresser par la poste à des maisons d'édition parisiennes. L'ouvrage m'était retourné quelques mois plus tard, avec une même et désolante régularité, agrémenté d'une lettre type de refus, dans une enveloppe remise par la gardienne de l'immeuble qui, informée de la nature du colis, me le tendait toujours d'un air éploré.

La répétition de ces refus préoccupait mon père, tel un entraîneur qui, son poulain au bord du KO, enrage de ne pouvoir monter sur le ring. Il m'observait parfois depuis l'embrasure de la porte en train de m'échiner à la tâche. Sentant sa présence dans mon dos, je lui devinais la mine inquiète de celui qui doute de pouvoir faire quelque chose de sa progéniture.

« J'ai bien réfléchi, Laurent, signifia-t-il un jour, tu es étudiant en médecine à Nice, tu as vingt ans, et tu veux gagner le cénacle parisien. Mais personne ne se construit tout seul. En l'état actuel des choses, tu as besoin de conseils sur la manière d'écrire ton roman, de le structurer. Et moi, je suis professeur de sciences économiques, pas de lettres. »

Il s'interrompit un instant, puis lança d'un ton moins solennel :

« Tu te souviens qu'enfant, à Alger, j'étais dans la classe de Jacques Derrida. Mais t'ai-je raconté qu'en sixième je l'ai aidé à plusieurs reprises à résoudre des problèmes de mathématiques ? »

Je ne voyais pas où il voulait en venir.

« Si Jacques Derrida en est là aujourd'hui, c'est grâce à ceux qui l'ont aidé et peut-être ai-je été l'un des premiers avec ces devoirs de mathématiques. Peut-être que Derrida me doit une fière chandelle et peut-être même que la philosophie française nous en doit une aussi ! Je me suis renseigné. Le frère de Jacques Derrida vit à Nice, il possède une pharmacie à Cimiez. Tu vas aller le trouver, lui rappeler l'épisode du devoir de mathématiques. Il transmettra. Le Jacques que j'ai connu était un garçon d'honneur. Il saura faire pour toi ce que j'ai accompli hier pour lui. »

Je bataillai ferme durant quelques semaines, mais on ne refusait rien très longtemps à mon père.

Un samedi après-midi, après qu'il m'eut déposé au volant de sa nouvelle Lancia sur le trottoir de l'officine, j'en franchis le seuil et avançai d'un pas hésitant et inquiet à l'intérieur de la pharmacie déserte en ce début d'après-midi, avec le secret espoir qu'aucun membre de la famille Derrida ne s'y trouvât ce jour-là. Derrière le comptoir, un homme à l'imposante tignasse brune et frisée qui n'était pas sans rappeler celle du philosophe me suivait d'un regard où luisait une pointe d'ironie. Il me demanda ce dont j'avais besoin. Devant mon silence il sourit d'un air entendu. « Je comprends, jeune homme, je suis passé par là. » Il se rendit dans un coin de la boutique et avant que je n'aie pu dire quoi que ce soit pour le retenir, revint avec une boîte de préservatifs. « C'est la première fois, je suppose ? » poursuivit-il d'un ton enjoué et complice. J'acquiesçai du menton, cherchant dans mes poches de quoi payer. « Laisse, fit-il avec un geste de mansuétude, cette fois-là, elle est pour moi. » Il glissa la boîte au creux de ma main, me donna, en se penchant au-dessus du comptoir, une petite tape sur le coude comme un dernier encouragement.

Je remontai dans la voiture, la boîte de préservatifs au fond de ma poche, l'air le plus assuré possible. Mon père demanda si cela s'était bien passé.

J'eus un hochement de tête approbateur en réprimant un sentiment de honte. Je préférais qu'il croie à l'ingratitude d'un ancien camarade plutôt qu'à la lâcheté de son fils.

Le philosophe Jacques Derrida ne fut en rien dans la publication, des années plus tard, de mon premier roman. Je lui dois en revanche mon premier rapport protégé.

— Vous me faites marcher ! s'insurge ma voisine. Vous affabulez, c'est cela ? Cela doit être la déformation professionnelle ! Bon, n'allez pas imaginer que vos histoires ne m'intéressent pas, mais ce vol m'a obligée à me lever à une heure impossible, je vais dormir un peu.

Elle ôte ses souliers, allonge ses jambes, ferme les yeux et bientôt s'assoupit, me laissant seul avec mes pensées, en quête d'un épisode inédit du passé. Depuis la mort de mon père, ma vie tourne autour du souvenir, comme la terre autour du soleil.

Quelques notes de musique reviennent à mes oreilles, celles de la chanson de Prévert et Kosma. Yves Montand a toujours été son idole, une passion si communicative qu'elle a fini par devenir la mienne. Dans les années 1970, à peine le chanteur paraissait-il à la télévision que j'entendais mon père s'enthousiasmer sur le fait qu'il l'avait vu en concert à Alger dans les années 1950. Son jeu de scène dessinait la trace vivante des vingt ans de mon père. Admirant Montand danser, je voyais mon père qui danse. Il y avait cette photo prise sur les trottoirs de Paris lors de son premier voyage dans la capitale, costume beige, chemise noire, cigarette entre les lèvres, l'air ténébreux qu'il se donnait et semblait directement inspiré de la star. En 1983, Montand étant remonté sur scène pour une tournée d'adieux, j'accompagnai mon père au concert. Le spectacle terminé, nous attendîmes le chanteur devant la porte de sa loge dans la file d'attente de ses admirateurs. « Je vous ai vu sur scène à Alger ! » lui lança fièrement mon père quand vint notre tour. « Une de mes plus belles représentations ! » répondit Montand, la mine complice, avant de signer un autographe. Dans la voiture, sur le chemin du retour, nous entonnâmes à tue-tête *Les Feuilles mortes* résonnant pour l'occasion comme un hymne à la joie.

Des années plus tôt, à l'âge de huit ans, on m'avait donné des cours de piano afin que je suive les traces de ma mère, pianiste émérite. Je n'avais pas plus de quatre leçons derrière moi que mon père posait la partition de la chanson de Prévert et Kosma sur le piano, en m'invitant à la jouer, sa voix de stentor lançant le premier couplet. Il s'interrompit après quelques mesures pour demander à ma mère d'un air de stupéfaction inquiète :

« Le petit n'y arrive pas. Tu es sûre qu'il est fait pour le piano ? »

Trois ans plus tard, au comble de la fierté, je parvins enfin à dérouler les accords de la partition sous son regard ébahi avant qu'il reprenne sur mes notes : *Je voudrais tant que tu te souviennes…* Ce fut dès lors un rituel, chaque samedi en début d'après-midi, il chantait, je jouais. *Ces jours heureux où nous étions amis.* « Continue à jouer, Laurent ! » Il enlaçait maman par la taille. « Viens danser, chérie ! » *C'est une chanson qui nous ressemble,* ils entamaient une danse improvisée à travers le salon. « Joue, Laurent, mais joue-la jazz ! » Ils glissaient entre les fauteuils, disparaissaient dans le couloir, revenaient rayonnants et radieux. « Plus swing, s'il te plaît ! » Ils virevoltaient avec grâce et légèreté, transportés de joie en cadence, retrouvant l'air de leurs vingt ans, ils dansaient au rythme de leur jeunesse. « Swingue, Laurent, swingue ! » Ils remontaient le temps sur mes accords mineurs, *et le soleil* aussi *brûlant qu'aujourd'hui,* ils tournaient, le monde tournait autour d'eux.

J'ai commencé ma carrière de fils idéal, pianiste de bar à domicile.

Le livre de mon père

En ce mois de janvier 1972, je suis hospitalisé dans un service de médecine pédiatrique pour une néphrite dont les médecins peinent à identifier la cause. Chaque fin d'après-midi, mon père vient prendre le relais de ma mère à mon chevet. Il s'assoit au bord du lit, pose sa main sur mon front afin de s'assurer que je ne suis pas en nage – geste que je répéterai à d'innombrables reprises un demi-siècle plus tard, à l'hôpital central de Tel-Aviv, alertant les infirmières au moindre doute, convaincu qu'un infime accès de fièvre pouvait être fatal à mon père comme le plus léger souffle éteint la flamme vacillante d'une bougie en passe de se consumer.

— Les médecins disent que nous en avons pour une semaine ici, annonce mon père au premier jour de mon hospitalisation, je vais enfin avoir le temps de te raconter l'histoire de mon oncle. Et tu constateras par toi-même que toutes les autres ne sont rien en comparaison, ni comment j'ai vu, enfant, depuis mon balcon, une nuée de bombardiers américains lâcher

leurs bombes, ni comment, jeune homme, j'ai défié l'administration française par amour pour ta mère. Avec Victor, Laurent, nous entrons dans le monde des géants !

Certains vivent avec l'idée d'un oncle d'Amérique, je grandis avec un grand-oncle imaginaire en héritage.

L'oncle Victor était né à la fin du XIXe siècle, dans un village perdu au creux d'un cirque de montagnes du Sud algérien, à l'entrée du désert, bourgade aux basses maisons de pierres balayée par le sirocco, bordée de terre ocre, longée au sud par une route qui conduisait jusqu'à Tamanrasset et desservait le village par un sentier toujours sous la menace d'éboulements de roches interdisant sa pratique au moindre orage. Quelques familles juives y vivaient en bonne entente avec la population musulmane, excepté à de rares moments où enflait la rumeur ancestrale qui, si elle avait pu à Tlemcen, à Oran provoquer des vagues de violence, ne semblait ici que passer pour aller se dissiper dans le vent du désert.

Jacob, le père de Victor, tenait au centre du hameau une sorte d'officine, à la fois pharmacie et épicerie, devant laquelle quatre tables étaient dressées et où l'on servait une boisson dont Jacob était l'inventeur, et baptisée la Jacobine.

— C'était bien trouvé, la Jacobine, papa.

— Ton arrière-grand-oncle était un poète en même temps qu'un excellent chimiste.

Jacob était venu s'établir là peu avant la naissance de son fils, en 1890. Il avait quitté la vie bruyante et trop animée de la grande ville, à laquelle il imputait la responsabilité de l'asthme dont souffrait son épouse. Il avait dans l'idée qu'une vie saine viendrait à bout de la maladie de sa femme. Son départ faisait aussi écho au déferlement d'antisémitisme dont fut victime Alger à cette époque, et qui conduisit quelques années plus tard, en 1898, à l'élection d'un maire au programme ouvertement antisémite et à celle de Drumont, l'auteur de La France juive, *à la députation de la ville.*

C'est ici que Victor vécut son enfance, dans une petite maison de briques entourée d'une cour plantée d'arbustes, et où, au milieu de plaqueminiers, de citronniers et de cactus, poussait un grand palmier dont le garçon s'escrimait à escalader le tronc sans jamais parvenir à le gravir au-delà de sa propre hauteur. Il coulait là des jours heureux sous le regard protecteur de sa mère, Léa, une femme toujours sur la réserve, grande brune pleine de mystères, qui semblait née pour s'oublier, exprimait l'étendue de sa tendresse d'un simple effleurement de la main ou d'un long silence appuyé. Elle s'échinait à relever le double défi d'être une bonne mère et une épouse parfaite, sans vraiment y trouver son compte, en payant trop cher l'addition. Jamais elle n'élevait la voix mais sa délicatesse sans limites, sa patience sans bornes ne cachaient qu'incomplètement une anxiété profonde qui trouvait son unique expression dans les crises d'étouffement qui la saisissaient au beau milieu de la nuit, comme un tête-à-tête avec sa blessure intime.

Jacob, le père de Victor, était tout l'inverse. Homme de parole et d'action, type bourré de qualités à qui certains prêtaient tous les défauts, grande gueule n'ayant peur de rien ni personne, il avançait dans la vie sans s'appesantir sur les obstacles ni se perdre en conjectures. Personnalité qui comptait autant d'adulateurs que de contempteurs, qu'on saluait chapeau bas ou qu'on préférait ignorer, il accordait de l'importance aux détails, était capable de s'emporter d'une même colère pour l'honneur du capitaine Dreyfus et pour un thé à la menthe refroidi. Tout lui tenait à cœur quand son épouse n'avait de cœur à rien. Le couple était bien assorti, l'une la froide majesté d'un Vermeer, l'autre le maniérisme d'un Titien.

— J'aime quand tu racontes, papa.

En passant le pas de la porte de la maison familiale, il devenait un autre homme, doux et attentionné, qui savait faire assaut de tendresse, aurait élevé un monument à la gloire de sa femme s'il avait vécu au temps de la splendeur de Rome. Il était poète à ses heures, composait des sonnets qui chantaient la beauté et la grâce de Léa, odes à sa délicatesse qui résumaient en quatorze vers l'immensité de son amour.

C'était aussi un père modèle, attentif et exigeant pour son unique progéniture. Il partait avec son fils dans d'interminables balades durant lesquelles il s'efforçait de transmettre au garçon ce que la vie lui avait enseigné. On quittait la maison au petit matin, on traversait les ruelles engourdies du village où tombait déjà la chaleur du jour, on poursuivait sur un chemin de terre escarpé menant à un plateau rocheux au bout duquel on pouvait voir le désert qui commençait. Dans l'air saturé de lumière, les deux êtres contemplaient, main dans la main, le spectacle de l'infini déroulé dans le calme silence de l'aube.

— Dans le calme silence de l'aube…

Son intelligence forçait l'admiration, on saluait ses compétences et son sérieux, on l'appelait docteur bien qu'il n'eût aucun diplôme. D'un simple mot ou d'un regard, il soulageait les inquiétudes, apaisait les tourments. On pénétrait dans l'officine anxieux et le cœur lourd, on repartait presque guéri.

Sur les étagères en bois de chêne étaient exposés bocaux, fioles, récipients, vases, boîtes qui contenaient, classées sous des noms latins, toutes sortes de mixtures, poudres, breuvages, cachets, emplâtres, cataplasmes, pastilles, expédients, pilules. Un rayon entier était réservé à la boisson dont Jacob était l'inventeur et qu'il proposait à la vente dans une fiole en forme de jarre, fabriquée en verre de Murano, sur laquelle une étiquette indiquait, en bleu sur fond blanc :

« La Jacobine, eau gazeuse et miraculeuse. »

Au milieu de cette pharmacopée se dressait un empilement de livres liturgiques, Bible, Torah, Coran, Jacob ayant toujours considéré que la condition physique n'allait pas sans la santé mentale et la foi. Certains soirs cependant, au terme d'une journée où il avait vu défiler un long cortège de souffrances, Jacob en venait à faire part de ses doutes quant à la présence divine, déclarations qui plongeaient les patients dans des abîmes de perplexité et faisaient fuir certains des plus pieux.

Il se sentait gêné de réclamer de l'argent à quiconque était dans la souffrance, voyait le négoce comme l'ennemi du soin. La plupart de ses clients étant trop pauvres pour payer leurs médications, il accordait crédit à chacun, pratique qui ruinait le fragile équilibre de son commerce et le contraignait à faire office d'épicerie dans une pièce attenante. La venue de l'huissier de la région demeurait sa hantise.

Au fond de la pharmacie s'élevait une porte en fer sur laquelle était gravé en lettres capitales le mot « LABORATOIRE » et dont personne, hormis Jacob, n'était autorisé à franchir le seuil.

— Pas même le jeune Victor ?
— Si, Laurent, Victor y avait parfois accès.

Chaque mois, Jacob s'en allait au milieu des montagnes pour rassembler les ingrédients de sa boisson, il cueillait dans les arbres les fruits et les feuilles dont il connaissait les pouvoirs, arrachait des racines, glanait dans les vignes, puisait à la source d'une rivière où le mélange de terre, d'eau et d'oxygène produisait la base de la potion à laquelle, une fois revenu, il ajoutait les éléments qui en faisaient tout le sel.

Les jours où il y était autorisé, Victor le rejoignait dans le laboratoire, une pièce aux murs nus où traînaient des odeurs de cave. Le garçon observait en silence son père dont la haute silhouette se détachait dans la pâle clarté du lieu et qui s'appliquait à vider des marmites, mélanger le contenu de fioles, brûler à la flamme le culot d'éprouvettes pour extraire de ses mixtures quelques pincées d'un produit. Dans cette atmosphère étrange où flottait un air de fantasmagories, l'homme lui semblait plus grand que d'ordinaire, plus fort et plus savant que le commun des mortels. Parfois, son père lui demandait de lui tendre un flacon, Victor s'en saisissait avec prudence, le maniait avec délicatesse avant de le déposer soigneusement au creux de la main de son père, lisant chaque fois dans son regard la même reconnaissance que s'il s'était acquitté de la plus périlleuse des missions.

« Tu es mon aide de camp ! » lui lançait son père.

Il avait gagné ses galons.

À la fin de la séance, Jacob plongeait une louche dans une marmite pleine à ras bord, emplissait un verre, le tendait à son fils et attendait sa réaction, fébrile, comme si, cette fois-là, les rôles étaient inversés, le destin de l'adulte reposant entre les mains de l'enfant.

« Elle est comment, ma Jacobine ? demandait-il, un doute dans la voix.

— Elle a un goût de paradis », répondait Victor, sans comprendre exactement ce que sa réponse – soufflée par sa mère – signifiait, mais heureux de faire apparaître sur le visage de son père une expression de joie inégalée.

La mixture qui avait fait la gloire locale de Jacob à défaut d'assurer sa fortune, cette eau gazeuse au goût sucré et baptisée la Jacobine, était parée de toutes les vertus. On venait des quatre coins de la région pour en acheter un flacon. Elle guérissait l'eczéma, combattait la dysenterie, fluidifiait le sang et les sécrétions. Médecins et guérisseurs des villages voisins la recommandaient aux poitrinaires et aux bronchitiques. Elle consolait les dépressions, réconfortait les dépits amoureux, apaisait les esprits tourmentés. Son goût piquant au palais en faisait un baume contre le vague à l'âme. Une femme de quarante ans, après en avoir bu des litres, avait eu l'enfant qu'elle espérait depuis toujours. Un vieillard qui ne cessait d'en siroter retrouva la mémoire après des années d'absences.

Dès les premiers frimas, on faisait la queue devant l'officine, la boisson étant réputée protéger des rigueurs de l'hiver. Un homme faillit perdre la vie en avalant une fiole achetée au marché noir. Il n'y avait qu'une seule Jacobine dans sa fiole en forme de jarre, fabriquée en verre de Murano.

— Allez, Laurent, il se fait tard, je dois te laisser dormir. Sinon je vais me faire gronder par les infirmières.

— Papa, tu me jures que cette histoire est vraie ?

— Si cette histoire n'était pas vraie, pourquoi l'aurais-je inventée ?

Le temps des adieux

Tu as quitté les urgences de l'hôpital central de Tel-Aviv au terme de plusieurs heures d'attente, et te voilà dans le service de médecine interne. L'étage est divisé en deux parties séparées par un long couloir qui donne d'un côté sur les chambres, de l'autre sur une salle de réanimation dont la porte automatique s'ouvre de temps à autre sur l'immense pièce accueillant une douzaine de lits, où ronflent les respirateurs artificiels et clignotent les alarmes.

À ton âge, franchir le couloir, c'est mettre un pied dans la tombe.

Tu dors bien, dans ta chambre, la première nuit.

On m'a autorisé à rester à tes côtés. Je me suis fait un lit de fortune près du tien, réunissant deux sièges, m'asseyant sur l'un, étendant mes pieds sur l'autre, comme durant tout ton séjour nous te veillerons tour à tour.

Au matin, réveil à 6 heures.

Une infirmière venue prélever ton sang cherche longuement une veinule dans la peau de ton avant-bras dont l'interminable succession de perfusions aura bientôt raison.

— Vous avez une crinière magnifique, te complimente-t-elle d'un ton léger qui jure avec la gravité appliquée de ses gestes.

Tu as conservé intacte l'épaisse chevelure qui a toujours fait ta fierté, a tardivement viré au gris, et que tu as longtemps continué de ramener en arrière pour cultiver la ressemblance avec les acteurs du cinéma italien des années 1960 dont tu étais féru. Et toi qui pouvais t'enorgueillir d'avoir toujours su plaire aux femmes, tu vois le prodige se perpétuer à ton âge avancé. Tu offres à celle venue prélever ton sang, et échouant à maintes reprises, ton plus beau sourire que la répétition des piqûres fait grimacer de douleur.

Plus tard dans la matinée, le long du grand couloir qui sépare les deux mondes, la fille d'un malade apostrophe un médecin de réanimation. D'une voix étranglée par la rage, elle accuse le traitement délivré à son vieux père d'aggraver son état. L'interne, dont la jeunesse laisse présager l'inexpérience, écoute d'une oreille attentive. Il semble aussi désolé et impuissant que la malheureuse qui l'agresse. Son silence affecté laisse à penser qu'il a renoncé à l'idée de sauver le vieillard. Il attend que l'orage passe, sait que les colères ne durent pas, qu'après la révolte vient l'heure de la résignation. Je me demande si la jeune femme est dupe du subterfuge, si elle gobe ces paroles de réconfort où transpirent déjà des condoléances. Trouve-t-elle l'énoncé d'une espérance là où il n'y a que l'expression d'une gêne ?

Le jeune médecin joue la montre. Sans doute réfléchit-il déjà au nom du patient qui viendra en réanimation prendre la place bientôt vacante du vieillard à l'agonie.

J'ignore alors qu'il pense à toi.

M'entretenant avec ce même médecin à la suite de l'esclandre, je souligne, du ton le plus compatissant, la difficulté de sa tâche. Je tente de le convaincre que lui et moi n'avons rien de commun avec la malheureuse qui ne sait pas réfréner son animosité, méconnaît les contingences médicales – nous, nous sommes des êtres civilisés, nous ne hurlons pas pour un rien, la blouse a fait de nous des hommes, nous connaissons le prix des choses.

Mes propos grotesques et forcés visent uniquement à m'attirer la sympathie de ce type. Disposer d'un allié dans la place m'aidera à te sortir d'ici au plus vite.

L'interne, encore sous le choc des vociférations de la femme, m'avoue débuter là son premier stage. Nous discourons sur les difficultés de l'exercice médical. À l'instant de nous séparer, il me donne une tape amicale sur l'épaule – ce simple geste me procure l'illusion d'une victoire.

Je me sens prêt à tout pour t'éviter la traversée du grand couloir.

Par le petit carreau vitré de la salle de réanimation, j'observe la silhouette de la jeune femme, debout face au lit de son vieux père, ses lèvres semblant psalmodier une prière. Elle lève de temps à autre les yeux vers le ciel, sans doute dans l'espoir qu'il accède à ses désirs, puis abaisse un regard désolé sur le pauvre corps immobile qu'aucune force providentielle ne descend secourir.

Je la jauge depuis le couloir, alors que tu n'es pas encore passé de ce dernier côté de l'existence, m'apitoie sincèrement sur son sort comme on plaint ceux touchés par un malheur dont on pense qu'il vous épargnera – et ainsi sont les fils et les filles ne pouvant imaginer que leur tour viendra d'être orphelins, aveugles à leur propre avenir, humant en toute innocence un parfum d'insouciance éternelle avant d'être rattrapés et cueillis par la main du destin.

Je prends cette femme pour une étrangère entonnant la litanie des pleureuses. Elle est une sœur d'âme qui m'a seulement précédé dans le manège où mon ticket m'attend déjà.

Comme lors de tes précédentes hospitalisations, et tout aussi stupidement, j'ai apporté dans le service des exemplaires de mes romans traduits en anglais et en hébreu. Je les donne aux médecins, les offre aux internes, les distribue au personnel, accompagnant mon insignifiant cadeau d'un mot de confidence : ces livres ont pour inspirateur mon père, celui dont vous tenez la vie entre vos mains, qui n'entend bien que d'une oreille, qui ne parle pas votre langue. Pensez-y au moment de le perfuser. De le transfuser. De le ponctionner. De lui administrer vos drogues. Ménagez-le ! Ce type n'est pas n'importe qui ! Vous avez devant vous UN HÉROS DE ROMAN !

Les médecins auprès desquels je sollicite si grossièrement un traitement de faveur me regardent d'un air étonné, mais le stratagème semble fonctionner. Pendant la visite du service, le grand patron, apprenant par son assistant le curieux curriculum vitae du fils de son patient, me tend une main obligeante et m'invite à donner mon avis sur l'état de mon père. Puis toujours avec le sourire, il s'enquiert de savoir si ce qu'on lui a dit est vrai : je suis médecin ET écrivain ?

— Votre père devait être fier de vous, me lance-t-il comme une manière de politesse.

— *Doit* être fier ! je m'indigne.

— Oui, excusez-moi, il *doit* être fier, se reprend-il, un regard navré en ta direction, avant de se diriger vers le patient suivant.

— Qu'a raconté le professeur ? demandes-tu au départ des médecins.

— Il a dit que tout allait bien.

— Quand pourrai-je sortir alors ? J'aimerais être rentré vendredi. En soixante ans de mariage, je crois que je n'ai jamais passé un week-end loin de ta mère. Tu crois que vendredi ce sera possible ?

— Je poserai la question, papa.

— J'ai l'impression qu'ils voudront me garder plus longtemps…

— Ils te garderont le temps qu'il faudra, papa.

— Regarde mes jambes, elles sont encore plus gonflées qu'hier, et mon ventre, je ne rentre même plus dans le pyjama. En revenant, je vais devoir faire refaire tous les ourlets de mes pantalons de costume. Dis-leur, ils t'écoutent, toi ! Ils font semblant de ne pas comprendre mon anglais.

— Ton anglais est parfait, papa.

— Eh bien tant mieux, parce que ça n'est pas à quatre-vingt-sept ans que je vais le changer. Passe-moi le téléphone, je vais appeler ta mère, elle va trouver une solution.

— Ne l'inquiète pas trop non plus, je laisse échapper, regrettant aussitôt mon propos.

— Pourquoi veux-tu que je l'inquiète ? réponds-tu, l'air sombre, ayant parfaitement saisi le sens de ma remarque.

Tu laisses passer de longues minutes avant de plonger tes yeux dans les miens :

— Laurent, dis-moi la vérité, c'est grave, n'est-ce pas ?

— Mais qu'est-ce que tu vas chercher là ? Ils vont te tirer d'affaire. Et on rentrera ensuite.

— Merci, fiston. Parce que, à un moment, j'ai vu dans ton regard quelque chose comme de la peur. Un père devine ça, tu sais.

— Je n'ai pas peur, papa.

— Tu es un garçon plein de qualités, tu sais faire preuve d'un grand courage, mais tu as peur de trop de choses.

Après un nouveau silence, tu poses ta main sur la mienne et avertis, lentement, du ton des dernières paroles :

— Cette fois-là, Laurent, il ne faut pas que tu aies peur.

Nos retrouvailles

Dans le grand calme de la cabine, son visage contre le bord du hublot, ma voisine somnole toujours. La pénombre ambiante diffuse un air de douceur automnale, les corps sont enveloppés sur eux-mêmes, les esprits s'abandonnent à la détente. J'ai sorti de mon sac deux ouvrages de Claudio Magris relus à l'occasion de mon essai sur Zweig. Magris n'est jamais tendre envers le Viennois. *Le Mythe et l'Empire*, œuvre de jeunesse moins aboutie que *Danube* mais bijou d'érudition littéraire, dresse de l'écrivain un portrait peu flatteur qui en dit long sur le mépris avec lequel il était considéré par l'intelligentsia européenne dans les années 1960.

Engourdie par le ronronnement des moteurs, ma lecture ne résiste pas aux élans nostalgiques, mes pensées, où le présent semble interdit d'accès, aussi sombres qu'une pièce où le jour n'entre pas.

Si mon père ne parvint pas à me faire rencontrer Jacques Derrida, une nouvelle salve de refus des maisons d'édition finit par convaincre le jeune étudiant que j'étais de la pertinence de ses conseils quant à la nécessité d'un lecteur attentif à mon travail. J'avais remarqué, sur la quatrième de couverture d'un roman de Jean-Marie Le Clézio, ces quelques mots : *L'auteur est né en 1940. Il vit à Nice.* Un libraire interrogé sur la question m'apprit que le romancier habitait près du port. Retenant les leçons d'opiniâtreté de mon père, je partis, avec ces maigres informations, sur la trace du futur Prix Nobel.

J'arpentai le quai des Deux-Emmanuel, scrutant du regard les interphones à la recherche d'un nom ou d'initiales qui me conduiraient jusqu'à l'auteur de *Désert*, entrai dans la cour d'un édifice imposant, orné de colonnades de marbre rose, agrémenté d'un bassin où ondoyaient des poissons rouges et dont l'extrême mauvais goût ne correspondait pas à l'idée que l'on pouvait se faire du lieu de résidence d'un grand écrivain. Je contournai l'embarcadère où accostaient les ferrys en partance pour la Corse et dont la digue s'ouvrait sur une petite baie, îlot de paix aux abords du clinquant hostile de la Promenade des Anglais. J'inspectai, toujours vainement, les boîtes aux lettres de halls d'immeubles dressés au milieu d'un parc arboré de palmiers, me retrouvai au bas d'une colline, face à un dernier ensemble de résidences cossues où logeaient sans doute de riches chirurgiens et d'influents notaires. Une légion de cyprès protégeait les abords d'une piscine des regards indiscrets. Je prospectais les lieux par acquit de conscience, compulsais la liste des noms du dernier interphone, quand, sur le point d'abandonner tout destin littéraire, je vis une femme, d'une quarantaine d'années et d'une grande élégance, s'approcher de moi d'un air affable, me demandant si elle pouvait m'aider.

« Je cherche Jean-Marie Le Clézio », lui répondis-je très naturellement.

Elle esquissa un sourire, prit le temps de la réflexion, puis expliqua qu'elle avait à plusieurs reprises aperçu l'écrivain promenant son chien le long des trottoirs du port, en contrebas. Il habite sans doute le coin, précisa-t-elle, me conseillant de poursuivre par la Montée Saint-Aignan. Après quoi elle confia de but en blanc être l'ex-femme du chanteur Nino Ferrer.

« Vous voyez, fit-elle d'un ton un peu amer, c'est l'ironie de la vie, vous cherchez le grand Le Clézio et vous tombez sur l'ex-femme d'un chanteur à la retraite. »

Elle me souhaita bonne chance, poussa la grille et s'engouffra dans la résidence.

Suivant ses conseils, je gravis la Montée Saint-Aignan, avant de m'accorder une halte pour contempler le paysage de carte postale qu'offrait la vue, la mer scintillant à l'infini dans son calme de grand lac, l'arrondi des collines peuplées de pins et d'oliviers, l'au-delà des montagnes dont les crêtes crevaient l'azur. À quoi bon vouloir rivaliser par l'écriture avec un tel spectacle ? Du bas de la rue enfla un bruit de moteur qui attira mon regard sur un vieux break rouge un peu cabossé, au volant duquel je reconnus Jean-Marie Le Clézio. Avant que j'aie à me demander s'il fallait m'interposer sur sa route, la voiture ralentit pour s'immobiliser quelques mètres devant moi. Jean-Marie Le Clézio en sortit. Il semblait plus grand encore que les photos le laissaient imaginer. Tandis qu'il approchait du portail d'une austère bâtisse à la façade sobre et rustique, je fonçai sans la moindre hésitation en sa direction et, parvenu à sa hauteur, je déclarai :

« Jean-Marie Le Clézio, bonjour. Laurent Seksik, j'écris. »

Il me jeta un regard surpris, à demi amusé, mais où ne se lisait aucune trace de moquerie, me tendit une poignée de main ferme et bienveillante.

« Quel genre de livre écrivez-vous ? demanda-t-il de sa voix grave et posée, son regard perdu dans le lointain.

— Des romans, confiai-je d'un ton ému. Je veux devenir romancier, j'ajoutai, cherchant une approbation à ma démarche.

— C'est une noble idée. »

Il s'ensuivit un long silence. L'essentiel avait été dit.

« J'étudie aussi la médecine », finis-je par dire pour relancer la conversation, et ignorant si dans son esprit les deux choses pouvaient aller de pair.

Je retins mon souffle, attendant son verdict.

« Il existe une belle tradition de médecins-écrivains, affirma-t-il, levant en une phrase le dilemme qui me rongeait. Si vous le souhaitez, poursuivit-il, adressez-moi votre roman, je vous dirai ce que j'en pense. »

Je remerciai du fond du cœur.

« Vous lisez l'anglais ? » reprit-il.

Sans saisir où il voulait en venir, je répondis par l'affirmative.

« Avez-vous lu Roth ? continua-t-il, précisant le sens de sa pensée.

— Philip Roth ? dis-je, sur le ton de l'évidence, avec le même contentement que si j'avais su répondre au *Jeu des mille francs.*

— Henry Roth », corrigea-t-il gentiment.

Je fis un hochement de tête déçu.

« Lisez *À la merci d'un courant violent*, je suis sûr que cela vous intéressera », expliqua-t-il d'un ton de recommandation amicale, avant de se glisser dans l'entrebâillement du portail, l'inflexion de sa voix m'ayant donné congé.

Seul devant la maison des Le Clézio, j'embrassai d'un long regard la façade aux volets d'un vert un peu passé, le toit de tuiles rouges usées par le temps, je m'attardai sur les fenêtres, curieux de savoir derrière quel rideau écrivait le romancier, dans quelle pièce grandissaient ses idées et naissaient ses personnages. Une fois rassasié de questions sans réponses, je me mis à dévaler la Montée Saint-Aignan, m'enivrant du parfum des pins dans l'air du soir qui commençait à tomber.

Dorénavant, peu m'importait d'être un jour publié. J'étais un écrivain, Jean-Marie Le Clézio savait que j'écrivais.

Je poursuivis mon chemin, me remémorant en boucle notre conversation. Ces cinq minutes d'échange semblaient une éternité. Nous avions conversé chacun sur son Roth, échangé entre confrères, parlé d'égal à égal. L'auteur de *Désert* m'avait recommandé un roman. Jean-Marie Le Clézio était mon conseiller littéraire.

Je continuai ma course jusqu'au port. Quand, à l'aller, la rangée de palmiers était comme une inquiétante armée de soldats, garante d'une vie déjà tracée sous des cieux amers et désolés, maintenant tout était illuminé, de chaque coin de rue jaillissaient des clartés, cette ville de Nice qui, au milieu de ces années 1980, débordait encore de fureur contenue, de vulgarité assumée et d'inculture revendiquée, devenait le lieu de tous les possibles, l'endroit des métamorphoses.

Debout aux aurores le lendemain, j'allai glisser mon manuscrit dans la boîte aux lettres de la villa avant de prendre la route de l'hôpital, convaincu que je n'y ferais pas de vieux os.

Les semaines suivantes, j'observais une halte quotidienne chez Mme Alvarès, prévenue de l'extrême importance de la lettre que j'attendais et qui me délivrait chaque fois le même non navré, jusqu'au jour où elle brandit, triomphante, une enveloppe où étaient notés, à l'encre bleue, mon nom et mon adresse et dont le tampon indiquait la poste du port.

Après avoir gravi quatre à quatre les marches de l'escalier, l'enveloppe contre mon cœur, être entré dans l'appartement sans le moindre bonjour, je filai dans ma chambre pour décacheter la lettre.

C'était une demi-page blanche maladroitement découpée, sur laquelle une écriture soigneuse, où se détachait chaque lettre, avait inscrit :

> Cher Monsieur,
>
> J'ai lu votre manuscrit. On sent une expérience personnelle intense. On pense à Céline (le refus du conformisme, les pages sur le départ pour l'Afrique). L'émotion romanesque est forte. Mais je crois que le roman n'est pas achevé, il manque quelque chose, une fin peut-être. Je le communique chez Gallimard (sans faire ces réserves). Il faut le faire lire ailleurs (chez Lattès, chez Seuil…). Et puis continuer d'écrire, ne pas s'arrêter là.
>
> Sincèrement vôtre,
>
> J.M.G. Le Clézio

Estomaqué, sans voix, les tempes au bord de l'implosion, je ne cessais de parcourir ces lignes, comme si toute nouvelle lecture pouvait me révéler une information inédite, chaque passage provoquant un vertige encore supérieur au précédent. Ma mère ouvrit la porte de la chambre. Au premier regard, elle comprit et referma aussitôt pour me laisser tout à ma joie. Mon père fut plus démonstratif. Le soir, à son retour, je dus jouer *Les Feuilles mortes* sur tous les tons. Il mit tout son cœur à chanter.

Les jours passèrent rapidement. Nous attendions sereinement, ma mère, mon père, Mme Alvarès et moi, que s'ouvrent les portes de la maison Gallimard.

Un mois et demi plus tard, de passage devant sa loge, je reçus des mains de la gardienne une enveloppe où je reconnus le sigle de la grande maison. J'ouvris et parcourus fébrilement la lettre.

« Quelque chose ne va pas ? » s'inquiéta Mme Alvarès face à la tristesse que devait refléter mon visage.

Je relevai la tête et vis dans ses yeux la même déception que si c'était elle qui avait vu s'envoler en un instant toutes ses illusions. Elle se saisit du courrier et lut à haute voix :

> Cher Monsieur,
>
> Jean-Marie Le Clézio nous a bien fait parvenir votre manuscrit. Le texte a été lu en comité de

lecture. Malheureusement, il n'a pas fait l'unanimité et nous ne pouvons donc envisager sa publication.

Veuillez agréer, cher monsieur, l'expression de notre considération.

Elle posa sur moi un regard plein de colère et s'écria :

« Mais pour qui se prend-elle, cette Mme Bénédicte Peccia qui a signé la lettre ? »

Je souris malgré moi.

« Tu es un bon petit, tu t'en remettras. Allez, Laurent, j'ai la cage à ordures à nettoyer. »

Quelques jours plus tard, je confiai à mon père ma décision d'en finir avec la littérature.

« Je veux réussir le concours de l'internat, expliquai-je en tentant de masquer mon désarroi sous de vibrants accents de fausse conviction. J'ai la possibilité de devenir un bon médecin, un spécialiste, je me moque d'être romancier. »

Mon père vint s'asseoir auprès de moi, comme s'il veillait à souligner la solennité de l'instant.

« C'est la déception qui parle, Laurent. Et un brin d'orgueil, aussi, avança-t-il d'une voix calme avant de prendre un ton grave, comme s'il prononçait là le verdict d'une vie entière : Laurent, tu n'as rien à prouver dans l'existence.

— Rien ? m'exclamai-je, surpris par cette nouvelle injonction qui semblait faire table rase de l'éducation qui m'avait été donnée. Rien… et même pas à toi ?

— Rien à prouver. À personne. Ni à moi, ni à M. Gallimard, ni au reste du monde. »

Plus de trente ans ont passé. L'occasion m'a été donnée depuis, à plusieurs reprises, de croiser l'héritier et patron de la maison Gallimard. Aucune fois je n'ai osé lui demander s'il avait connu, par le passé, cette Mme Peccia qui avait signé une grande déception de jeunesse mais qui m'avait aussi valu le meilleur conseil jamais prodigué par mon père. Au dernier Salon du livre où je croisai l'éditeur, mon père avait disparu depuis deux mois seulement. Fiévreux d'émotion et plus sensible qu'aujourd'hui – où le temps a déjà entamé son œuvre de fossoyeur – à la moindre évocation qui eût pu rappeler sa présence, maladivement désireux de faire résonner sa voix, d'évoquer sa mémoire auprès de qui se mêlait à son souvenir même de façon lointaine, je me suis avancé vers M. Gallimard, porté par l'irrépressible désir de lui dire que *je n'avais rien à lui prouver*. C'était dans une manière de plaisanterie éloignée de tout esprit revanchard, qui n'aurait bien évidemment fait rire que moi et l'aurait au mieux plongé dans un profond embarras. Au dernier moment, j'ai tourné les talons.

N'est pas mon père qui veut.

Ma voisine est réveillée par la distribution des plateaux-repas. Nous devisons un temps sur la qualité de la nourriture servie en vol. Quand le sujet est épuisé, elle veut savoir pourquoi, alors que je parle sans cesse de mon père, je n'évoque jamais les autres membres de ma famille.

— C'est vrai, s'explique-t-elle, j'ignore si vous êtes marié, si vous avez des enfants.

— Je le suis, depuis vingt ans, et nous avons deux fils.

— Et vos frère et sœur, ils sont bien nés du même père ? Vous imaginiez être le fils préféré ?

— Je n'y crois pas, à ces histoires de fils préféré. Chacun a plus ou moins besoin d'amour filial. Certains ont d'autres chats à fouetter qu'à inlassablement quémander l'assentiment parental. Mon frère et ma sœur auront vécu une aventure différente avec mon père. Tout aussi singulière, avec ses ombres et ses éclats. Le seul privilège de l'écrivain est qu'il peut sublimer son enfance ou la tailler en pièces.

— Votre mère, pourquoi n'en parlez-vous pas ? Je suis certaine que son histoire vaut autant que celle de votre père.

— Elle pourrait être le sujet d'un livre entier, mais ma mère est bien vivante, fort heureusement.

— En matière littéraire, les vivants ne valent pas les morts ?

J'avais toujours pensé que le présent ne s'accordait pas avec mon écriture. Jusqu'à sa dernière heure, un être humain s'améliore ou régresse, il n'en a jamais fini avec lui-même. Le coucher sur le papier grave son caractère dans le marbre, lui ôte cette capacité d'évoluer. Écrire son histoire avant qu'elle ne s'achève lui interdit toute possibilité de réconciliation avec les autres et avec lui-même, ravit sa part d'humanité à venir. Cela revient à peindre un portrait auquel il manquerait une partie du visage. On juge à partir d'un faux témoignage. On enferme dans une prison de mots. À considérer ses contemporains comme des personnages de fiction, l'auteur se condamne à être une divinité de pacotille, un quart de demi-dieu grec scellant les destins, proférant les imprécations, jetant des malédictions définitives, semant la désolation autour de lui.

— Il y a dans la littérature, je finis par répondre, quelque chose de définitif qui enterre vivants les vivants.

— Si un écrivain a peur des mots...

— Un écrivain qui n'a pas peur des mots est un assassin en puissance.

— La première partie de votre vie, vous vous êtes penché sur des malades, et la deuxième sur des morts. Ne vous étonnez pas d'avoir mal au dos... Mais, reprend-elle après réflexion, si vous racontez votre relation à votre père dans un roman, vous allez intervenir, vous allez devenir un personnage de fiction, n'est-ce pas ?

— Si j'écris ce roman du père, et même si je me montre omniprésent dans ces pages, j'espère que l'on en connaîtra aussi peu sur moi que vous en savez vous-même à cet instant. Ou du moins en apprendrait-on sur mon seul passé, un passé qui, même exhumé, délivrerait seulement des bribes du présent.

— Votre obsession du passé, ça ne serait pas plutôt la trouille de vous engager au présent ? Peut-être craignez-vous qu'on ne sache qui vous êtes et ce que vous pensez.

— Quelle importance, ce que je pense ? Qui cela peut-il bien intéresser ?

Contrairement à certaines idées reçues, un romancier n'est pas un intellectuel. Sa pensée n'a rien d'abouti, d'affirmé, ses doutes le font avancer sur le magma informe de son imaginaire et de sa sensibilité. Son œuvre se bâtit à l'instinct. Le flou et l'inachevé de sa réflexion sont le lieu où se construit son récit, le tohu-bohu où ses personnages prennent vie. Les idées claires donnent des romans insipides. L'auteur avance dans son roman, aveugle à la propre histoire qu'il raconte. Il capte le sens de son travail à la seconde où il écrit le mot fin. L'instant d'après, le vertige le reprend, il ne reconnaît plus les lieux qui semblaient avoir forgé son identité. Une fois imprimé, le livre est comme un oiseau mort.

— Le moindre péquin donne son avis sur le monde. Vous êtes médecin. Vous avez écrit sur des géants. Vous devez avoir un avis. Cela pourrait intéresser certains. Tiens, moi par exemple, ça m'intéresse.

— Même si je passais outre mes réticences, allais à l'encontre de mes principes, si je tentais d'exposer dans un livre ce que j'ai cru comprendre de la vision du monde d'un Einstein et d'un Zweig, croyez-vous que dans ce grand tintamarre d'invectives, cette clameur permanente d'une férocité illimitée qui fait aujourd'hui office de débat d'idées, il soit possible de transmettre une pensée qui s'essaierait à la nuance, ne tomberait pas dans l'outrage ? Je n'ai pas le cœur à entrer dans la fosse aux lions…

L'époque a révoqué l'esprit de modération. Le temps de la réflexion est aboli. Le doute n'est plus autorisé. Le ressentiment tient lieu de programme politique. La violence est célébrée dans les discours. La paranoïa a gagné les consciences. Chacun cherche un ennemi désigné. L'aversion éprouvée pour la social-démocratie, sa sage tempérance et sa molle inertie, qui a fini par avoir raison d'elle dans de nombreux pays d'Europe, exprime dans bien des esprits la haine de la démocratie elle-même et préfigure sa possible défaite. Avec le sacre de la pensée radicale, nous édifions l'avènement des fanatismes.

— Méfiez-vous quand même que les lions ne quittent pas leur fosse, ils n'ont pas vocation à rester dans l'arène… Non, moi je suis sûre que cela doit tout de même vous démanger d'intervenir, de donner de la voix…

— Peut-être… Après tout, mon prochain roman parlera de mon père. Ce sera mon premier pas dans le XXIe siècle…

— C'est bien timide, comme entrée dans la carrière. Et vous faites votre premier pas à cinquante-cinq ans ! Comme un garçon un peu attardé… Qu'est-ce que vous attendez d'un tel roman ?

— Je le vois comme un puzzle qui, une fois la dernière pièce posée, résoudra une partie de l'énigme d'une vie, répondra peut-être aussi à la question de pourquoi j'écris. Peut-être que le mot « fin » viendra aussi clore cette période de deuil d'une année, m'aidera à tourner la page sans pour autant me conduire à l'oubli. Il y sera sans doute aussi question de la façon dont j'ai accompagné mon père jusque dans ses derniers instants.

— Les derniers jours de M. Seksik ?

— Si vous voulez…

— Vu vos rapports avec votre paternel, et vos tendances naturelles à enjoliver le passé, vous risquez de livrer une vérité déformée.

— Je veux bien prendre le risque… Mais en réalité j'ignore toujours si j'écrirai ce livre. Je vous l'ai dit, je ne suis pas un adepte de l'autofiction.

— Je suis certaine que votre père vous aurait encouragé… Excusez-moi si je vous donne l'impression de me mêler de ce qui ne me regarde pas. On me le reproche tout le temps, précise-t-elle avant de s'interrompre pour poser son regard dans le vague vers le hublot et de reprendre, un instant plus tard, semblant s'adresser à elle-même tout autant qu'à moi : Il y a quelque temps, ma sœur Chloé voulait un chien, un chien de race, un labrador, quelque chose comme ça, je ne suis pas une spécialiste, et personnellement je déteste les chiens, ils me rappellent mon père qui les adore. Pendant des semaines, elle n'en démordait pas. Je tentais de la raisonner, Chloé, tu travailles à Paris, tu vis à Montmorency, tu imagines te lever chaque matin aux aurores pour aller promener ton chien ? Et puis ton appartement est trop petit, ton chien va se sentir comme un lion en cage. Sans compter que tu vas devoir revenir chaque soir à la maison pour le sortir, lui donner à manger, sacrifier toutes tes soirées à Paris. Tu ne pourras plus rencontrer personne. Elle me reproche alors de parler comme ma mère, d'être obsédée par son célibat. Elle ajoute que ça ne l'intéresse pas de rencontrer de nouveaux amis pas plus que de revoir ses anciens, c'est peut-être d'ailleurs la raison pour laquelle elle veut un animal, parce que la compagnie de ses semblables ne lui apporte plus rien, la compagnie des hommes en particulier, qu'elle trouve tous prétentieux, inconstants et frivoles, qui lui parlent comme s'ils voulaient lui refourguer un PEL, alors qu'elle aimerait les entendre prononcer des serments d'éternité, mais l'éternité, ça ne dit plus rien aux hommes, ou bien ça s'arrête au milieu de la nuit, quand ils se tirent de chez elle en faisant le moins de bruit possible pour éviter les explications. Son chien ne la quittera jamais au milieu de la nuit. Je la préviens qu'il sera malheureux, seul toute la journée, je lui reproche de se comporter en égoïste. Elle répond que si son chien est malheureux, ça fera deux avec elle. Depuis quand tu es malheureuse ? je lui demande. Depuis quand ? elle s'exclame comme si j'avais dit une énormité. Mais depuis toujours ! Évidemment, Madame la Reine des Culpabilisatrices n'a rien remarqué, vu que Sa Majesté Sandra est exclusivement centrée sur sa propre personne ! Je lui dis que j'en ai assez d'être agressée à tort et à travers, que si elle croit que la vie est facile pour moi elle se trompe, et je lui répète que son chien va lui pourrir la vie. Elle perd soudain toute colère et m'avoue d'un air triste : « Arrête de me parler de mon chien, tu ne vois pas qu'elle est déjà pourrie, ma vie ? » Et là, je n'ai plus su quoi dire. J'ai compris que son gros chien servait juste à cacher son grand désespoir… Allez, assez parlé, notre repas va être froid. Chaud, il est déjà si peu ragoûtant…

Nous mangeons sans dire un mot notre salade de betterave et nos spaghettis à la bolognaise. Je repense au principal écueil que rencontrerait l'écriture du livre de mon père. Comment déjouer le risque que notre relation puisse apparaître exclusive, puisque je l'aurais choisi comme unique sujet du roman, un père dans le regard de son fils qui n'aurait d'yeux que pour lui ? Qui pourrait imaginer qu'une semblable relation, qu'une même adoration se sont instaurées depuis toujours avec ma mère ? Que l'empathie s'inscrit dans la nature humaine et qu'elle peut prendre des formes extrêmes chez certains écrivains, ou chez certains médecins, dont elle constitue un outil de travail autant qu'une manie comportementale ? « Tu es hypocondriaque pour les autres », me reprochait il y a peu gentiment un de mes fils.

Un tel roman m'offrirait surtout de nous retrouver côte à côte une dernière fois, le temps de l'écriture. Signe qu'un an après sa disparition je n'ai toujours pas fait son deuil : je préfère imaginer mon père vivant entre des pages, plutôt que sous la terre comme au ciel.

J'en viens à demander à ma voisine si sa décision de ne plus revoir son père vivant ne l'effraie pas.

— Je ne suis pas peureuse de nature, répond-elle en souriant.

— Tout de même, cette résolution si définitive, cette espèce de promesse de haine éternelle...

— Mon père ne mérite aucun serment d'amour.

— Mais la haine... ?

— Évidemment vous, vous ne pouvez pas comprendre, vous semblez avoir été nourri au lait de la tendresse humaine par votre mère et au principe de la culpabilité sans la faute avec votre père. J'imagine bien que cela puisse sembler inconcevable quand on a osé son premier « salopard » en cinquième et qu'on regrette encore aujourd'hui la seule fois où l'on a dit merde à son père. Mon père mérite la haine que je lui voue, parce qu'il s'est toujours comporté comme le plus détestable des hommes. Durant les dix-sept années où j'ai dû subir sa présence, il n'a cessé de nous faire ressentir son dégoût de l'existence, de gueuler son malheur à tous les repas. Il nous a fait croire à ma sœur et à moi que l'amour ne valait rien, qu'il s'était marié par erreur, nous avait eues par accident, vous savez ce que c'est, vous qui avez été couvert d'adoration, d'être considéré comme un malheureux accident ?

Non, vous ne pouvez pas savoir, avec ce bataillon de fées au-dessus de votre berceau. Pour ma naissance, ma mère nous a avoué plus tard que mon père n'était même pas rentré de son voyage d'affaires. Mais ça, vous ne pouvez même pas l'imaginer, cela sort de votre champ de conscience et des principes inculqués par votre saint père ! Excusez-moi si je m'emporte, il ne faut pas me parler de mon père, ça me rappelle le jour où on a opéré le cancer de ma mère. On l'attendait, ma sœur et moi, à l'hôpital, toutes seules, terrifiées, et le type est arrivé en fin de journée, la bouche en cœur, avec des fleurs, cet abruti, comme si c'était autorisé, les fleurs en salle de réveil. Ça me dégoûte, voyez-vous, ça me dégoûte rien que d'en parler !

— Excusez-moi d'avoir amené le sujet dans la conversation.

— Mais enfin, arrêtez de vous excuser sans arrêt ! Vous en êtes ridicule à force.

Ma voisine et moi laissons passer un long silence au bout duquel elle déclare, en me jetant un regard amusé :

— Vous boudez... ? Allez ! ajoute-t-elle en me donnant un petit coup de coude, ça n'est pas grave de vouloir se faire tout le temps pardonner, il vaut mieux ça plutôt que de ne jamais s'excuser... Ah, voilà, vous souriez. Vous savez, ce que j'ai dit tout à l'heure, que lorsque vous aviez vingt-cinq ans, vous ne m'auriez certainement pas plu. Eh bien, là, si j'en avais dix de plus, peut-être que le charme de l'écrivain aurait agi.

Je réponds par un merci gêné.

— Oh, ne me remerciez pas, vous m'avez dit que vous n'y étiez pour rien dans votre vocation. Il faudrait encore féliciter votre père… Allez, nos géniteurs nous polluent l'existence jusque dans les airs, assez parlé d'eux !

Elle m'interroge sur le genre de médecine que je pratique, demande si je suis généraliste. Je réponds que je suis radiologue.

— Quel rapport avec la littérature ?

— J'ai d'abord songé à devenir psychiatre.

— C'est déjà plus logique. Mais pourquoi n'avoir pas poursuivi ?

— Sur les conseils de mon patron en psychiatrie.

— Il n'aimait pas son métier, lui non plus ? s'esclaffe-t-elle. C'est une manie, chez vous !

J'éclate de rire à sa suite, et nous rions ensemble de bon cœur, presque aux larmes, deux inconnus sachant l'essentiel l'un de l'autre, l'une semblant avoir brisé ses chaînes, l'autre encordé à son passé. Et je songe qu'un autre moi, peut-être de dix ans plus jeune, ou moins écrasé par ses principes, se serait peut-être autorisé à s'affranchir de tout devoir, délaisser la noble assemblée attendant sa venue au cimetière, choisir un bref instant de désobéissance, s'accorder un moment de liberté, renoncer à la fidélité éternelle pour proposer à cette femme d'aller découvrir les nuits endiablées de Tel-Aviv.

Mais plutôt que de ruer dans les brancards de mon éducation, je reviens vers le giron autour duquel j'ai toujours aimé graviter. Je retourne sagement au passé. Pour qui n'a pas le goût immodéré des voyages, c'est une croisière qui ne lasse jamais.

Une fois le concours de l'internat passé, j'avais occupé durant six mois un poste d'interne en psychiatrie. Ce stage m'avait laissé bouleversé par la voix des schizophrènes, la douleur des maniaco-dépressifs et m'avait convaincu d'avoir trouvé ma voie. J'avais pris mon service à l'étage affecté aux grands handicapés mentaux, niché tout en haut du bâtiment principal et clôturé par une haute grille.

Le premier patient que je croisai à mon arrivée me déclara d'un air jovial : « À ma montre, il est 3 heures moins quart. » Je lui répondis qu'à la mienne il était beaucoup plus tôt. Il me regarda d'un air perdu puis repartit sans rien ajouter. Je revis l'homme au même endroit, à la fin de la journée. Il m'interpella par ces mêmes mots : « À ma montre, il est 3 heures moins quart. » Je pensais avoir compris la leçon et répliquai en souriant qu'à la mienne également. Il se retira tout aussi triste que la première fois. On m'apprit que c'était là l'une des seules phrases que prononçait celui qu'on surnommait « À ma montre, il est 3 heures moins quart ».

Roger, un autre patient, se vantait d'avoir avalé les poissons rouges du bassin censés égayer les jours des pensionnaires. Sa manie d'ingérer toutes les sortes d'objets tombant entre ses mains, mégots de cigarettes, cailloux, cuillères, exigeait une surveillance de tous les instants qu'il parvenait sans cesse à déjouer pour se voir conduit périodiquement en salle d'opération.

Pierrot, un vrai mastodonte, était passé maître dans l'art de se mutiler. Excepté ses accès de furie assassine contre sa propre personne, c'était le plus doux des hommes.

Serge demeurait des matinées entières face au mur d'enceinte, le regard perdu, la tête agitée de mouvements de va-et-vient.

Ephraïm, qui portait chapeau et barbe, et se prenait pour le Messie, venait parfois le rejoindre et psalmodier une prière avant d'entamer avec son voisin un dialogue toujours sans réponse.

J'accomplis là mes premiers pas d'interne avant d'aller exercer à un autre étage où l'atteinte des patients était moins spectaculaire au premier abord mais ébranlait tout autant parce que le masque de normalité, parfois d'obligeance, à travers lequel elle commençait par s'exprimer se fissurait rapidement pour laisser paraître une souffrance et des tourments infinis.

Après six mois d'internat, j'étais allé valider ma décision de choisir la psychiatrie auprès de mon chef de service, le professeur B.R., un homme qui me conviait de temps en temps à converser à bâtons rompus dans son bureau. Comme je l'avais avisé de mes ambitions littéraires, il avait confié avoir écrit un roman qu'il n'avait jamais osé soumettre à un éditeur parce qu'à chaque relecture il se reprochait de ne pas retrouver l'émotion qu'il aurait rêvé de glisser entre les lignes. Il avait beau corriger, biffer, raturer, l'émotion n'y pénétrait jamais. Il en avait conclu qu'il n'était pas fait pour écrire.

Quand je lui appris mon intention de devenir psychiatre, il prit le temps de la réflexion puis déclara :

« Je ne suis pas sûr que tu aies raison, Laurent. Pour te dire le fond de ma pensée, je ne crois pas que littérature et psychiatrie fassent bon ménage. N'y vois pas une quelconque amertume de la part de l'écrivain raté que je suis. Peut-être trouve-t-on d'excellents écrivains-psychiatres, mais pour moi, ce sont des exceptions. Il me semble que la fréquentation quotidienne de l'imaginaire ne s'accorde pas avec la pratique journalière de la folie. Il y a là comme un voisinage trop intime, une proximité presque incestueuse. La folie dévastatrice des patients domine toujours la folie douce de la fantaisie créatrice. Et puis notre métier est un sacerdoce. Soit tu seras un excellent psychiatre et un mauvais écrivain, soit ce sera l'inverse. Dans le premier cas, bien sûr, ce serait moins grave, un mauvais écrivain n'a jamais tué personne. Mais tu auras meurtri tes rêves, ce qui est au fond un autre crime… Après tout, si la psychiatrie continue de te passionner, rien ne t'empêchera d'écrire sur le sujet ou d'entreprendre une analyse. Le brin d'humanité qui est la base de notre vocation ne va pas disparaître comme par enchantement… »

Cette conversation aura marqué mon esprit sans doute au-delà de ce qu'aurait pu imaginer mon bienveillant professeur. J'ai opté pour une spécialité d'une froide rigueur scientifique où le verbe est absent et où aucune émotion n'interfère avec le diagnostic.

Bien des années plus tard, travaillant à l'écriture du *Cas Eduard Einstein* et désireux de compléter mes connaissances sur la schizophrénie, j'avais repris contact avec le professeur B.R. Nous avions déjeuné place Garibaldi à Nice. C'était le début du printemps, quand la ville est la plus douce, baignée de cette lumière unique dont la beauté fait fondre quiconque lève la tête vers le ciel. L'homme n'avait pas vraiment changé durant ce quart de siècle, hormis sa chevelure blanchie, les rides qui recouvraient son front, quelque chose d'un peu moins vif dans l'attitude et le regard, mais c'était toujours le même être resplendissant de dignité, dont le visage irradiait de bienfaisance.

« Tu sais, fit-il en souriant, après que nous avions commandé, je suis assez fier d'être à l'origine d'une vocation littéraire.

— Excusez-moi, cette place est déjà prise par mon père, ironisai-je. Même si vous avez beaucoup compté dans mes choix.

— Ah, oui, j'oubliais ton père – et je me demande comment j'ai pu, tu en parlais beaucoup à l'époque. Est-il toujours de ce monde ?

— Et vaillant.

— Vos rapports ont évolué, depuis ?

— Je ne suis pas sûr. Je dois lui annoncer depuis plusieurs mois que je vais abandonner la médecine et je n'y arrive toujours pas.

— Tu as suivi quelques-uns de mes conseils, mais visiblement pas celui d'entamer une analyse. Tu as peur que cela ne nuise à ton inspiration ? Tu aurais tort.

— J'ai bientôt cinquante ans. Je crois que je ferai sans.

— C'est dommage, tu manques une des plus exceptionnelles aventures humaines de ce temps. Mais peut-être la littérature est-elle un autre moyen de se connaître et de se révéler à soi-même… Ah, fit-il après réflexion, il fallait que je te raconte quelque chose… Tu te souviens du service des grands handicapés, n'est-ce pas ?

— *À ma montre, il est 3 heures moins quart…*

— Eh bien, peu de temps avant que je ne parte à la retraite, la direction de l'hôpital a jugé, sans doute à juste titre, que les lieux étaient trop vétustes pour abriter ces patients et a décidé de fermer l'étage en dispersant dans les autres services la vingtaine de pensionnaires. Le terrible résultat était peut-être prévisible. Sortis de l'endroit où ils avaient passé l'essentiel de leurs jours, aucun des patients n'a survécu plus de quelques mois. Ils se sont tous laissés mourir sans qu'aucun traitement ne parvienne à les sauver… »

Je vis passer les visages de Serge, de Pierrot, d'Ephraïm.

« Il y a une de mes prédictions qui s'est réalisée, reprit mon ancien patron d'un ton moins grave, tes livres tournent autour de la psychiatrie. Ton *Zweig*, ce n'est rien d'autre que l'histoire d'un grand mélancolique. Ton deuxième roman, *La Folle Histoire*, se déroule entièrement à l'hôpital Sainte-Anne. Et à ce que j'ai cru comprendre au téléphone, tu travailles sur un cas de schizophrénie. Alors, que veux-tu savoir ? »

Je pris le carnet sur lequel j'avais noté mes questions et enregistrai sur un petit magnétophone les réponses de mon ancien professeur, qui retrouva instantanément les accents vigoureux, le regard animé qui étaient les siens du temps de son exercice. Quand il eut fini d'évoquer la maladie d'Eduard Einstein, l'après-midi était bien entamé, l'heure était venue de nous séparer.

« Tu sais ce qui me ferait plaisir ? confia-t-il, d'une voix soudain plus hésitante. C'est que tu lises mon roman… maintenant que tu es de la partie. »

J'acceptai bien volontiers et proposai également de le soumettre à mon éditeur. Le professeur B.R. promit de m'adresser son manuscrit dans les plus brefs délais. Les semaines passèrent. Un mois plus tard, comme je m'inquiétais auprès de lui de n'avoir toujours rien reçu, il répondit d'un ton de lasse résignation qu'il avait réfléchi entre-temps. Cela n'en valait pas la peine.

— Vous m'avez dit que vous étiez radiologue ? reprend ma voisine après que j'en ai fini avec l'histoire du professeur B.R. Ça n'a pas le prestige du chirurgien, et entre nous pas très bonne réputation, mais ça a l'air tout de même terriblement compliqué. Vous devez tout savoir sur tout, les maladies, le corps humain… Vous n'avez pas le droit à l'erreur, n'est-ce pas ?

Je tente d'expliquer que si une excellente mémoire et une bonne intuition sont en effet indispensables, la difficulté de cette profession réside surtout dans l'annonce d'une pathologie grave. Il convient d'être le plus humain des messagers du désastre. Chacun possède sa méthode. J'avais développé au fil du temps un procédé, résultat imparfait d'années de pratique, dont l'objectif était de ne pas laisser le patient ébranlé par une proclamation trop brutale tout en l'informant aussi clairement possible de la gravité de son état. Dans l'interminable liste de patients d'une journée, quinze minutes étaient dévolues à chacun pour franchir le pas qui va de l'humanité insouciante du bien-portant à celui du monde en guerre du patient cancéreux. Je procédais en déroulant le même laborieux script, dont j'avais quasiment écrit les répliques, même si l'émotion que renvoyait le patient et qui me saisissait toujours à l'improviste m'obligeait à modifier chaque fois mon propos, à en atténuer la froide rigueur.

Je débutais par ce constat :

« D'abord, sachez qu'il n'y a rien de grave. »

Il me semblait ainsi alerter le patient sans le heurter trop violemment. Ma formule déclenchait un premier soulagement avant que mon interlocuteur, en ayant saisi le véritable sens, ne me demande, une pointe d'inquiétude dans la voix :

« Rien de grave ?... Mais il y a quelque chose alors ?

— Oui, il y a quelque chose, j'acquiesçais d'un ton volontairement neutre.

— Quelque chose qui n'est pas grave, n'est-ce pas ? » rétorquait le patient.

Et parce qu'il fallait bien monter quatre à quatre les marches qui conduisent aux portes de la maladie, je répondais :

« Quelque chose dont on ne peut dire sur cette seule image ce que c'est.

— C'est ce que je vois là… cette tache ?

— Oui, on peut appeler cela comme ça, une sorte de tache…

— Ça n'est jamais bon une tache, n'est-ce pas ?

— On ne peut pas conclure sur ce seul examen, ce n'est peut-être rien du tout.

— Mais vous, vous en pensez quoi, docteur, vous avez bien une idée ? »

Et jamais le terme de cancer ou de sclérose en plaques ne serait prononcé pour éviter que le désespoir ne s'abatte massivement sur le patient, ne le sonne, ne le jette à terre, parce que nul n'est censé pouvoir supporter en si peu de temps les conséquences d'un tel drame, peut-être convient-il d'amadouer le malheur ?

« Cela peut être rien du tout, cela peut être quelque chose de sérieux, il va falloir aller plus loin, pousser les investigations.

— De sérieux ?… Cela peut être sérieux, ce que j'ai ?

— Malheureusement il est impossible de le savoir avec ce seul scanner, le reste du bilan permettra de conclure.

— Si je m'attendais à ça !

— C'est juste qu'il va falloir être vigilant, pratiquer tous les examens nécessaires, retourner voir votre médecin.

— J'ai rendez-vous dans un mois, cela ira ?

— Oui, cela irait, mais peut-être qu'il serait mieux, plus raisonnable, de consulter avant, pour être fixé tout simplement. »

Ma voisine plonge ses yeux dans les miens avec une expression de surprise, puis déclare avec une moue excédée :

— Écoutez, j'ignore si vous aviez un bon diagnostic, mais ce que je peux vous certifier, c'est que le radiologue que j'ai vu lorsque ma mère est tombée malade n'avait pas vos scrupules. Le type nous a pris cinq minutes entre quat'z'yeux, en nous recommandant d'aller consulter fissa. Et le chirurgien qui nous a reçues n'était pas plus fin psychologue… Non, je crois plutôt que chez vous, le sérieux tourne toujours au tragique. Vous connaissez cette histoire qui se passe sous une dictature où deux chiens se croisent dans la rue ? L'un dit à l'autre : Cela donne quel hurlement, toi, quand tu aboies ? L'autre répond : Je ne sais pas, je n'ai jamais essayé… Bon, ça n'est pas très drôle parce que je ne sais pas raconter les blagues, mais cette histoire me fait penser à vous et à votre famille. Mais j'arrête, vous allez finir par me trouver pénible…

Nous demeurons sans plus rien dire, ni l'un ni l'autre, quelques minutes au terme desquelles je ferme les paupières dans l'espoir de trouver le sommeil. Je n'ai toujours pas écrit le moindre mot de mon discours. Outre que le texte ne devra pas décevoir les amis de mon père, il devra aussi être à la hauteur du chagrin de ma mère, de la dignité dont elle a fait preuve dans le malheur, de sa bravoure aux derniers jours, du courage dont elle a témoigné.

Elle a donné l'exemple en montrant que la vie continuait quand, pour tous, elle semblait s'arrêter. Elle ne s'est pas abandonnée à la propension naturelle des êtres ayant connu l'amour perpétuel à rejoindre leur amant dans l'éternité.

Cette femme de quatre-vingt-six ans, qui la semaine passée me signalait plusieurs fautes d'orthographe dans un essai sur Walter Benjamin, s'efforçait de trouver des charmes minuscules à ses jours alors qu'elle avait perdu l'amour avec un grand A, se contentait de menus plaisirs quand elle avait goûté aux festins de l'existence.

Elle offrait à ses enfants le plus merveilleux cadeau en restant vivante, alerte, se forçant à sourire quand l'aimé ne lui souriait plus autre part que sur les innombrables photos tapissant les murs de son appartement sans pour autant remplir aucun vide. Elle avait l'élégance de n'imposer à personne l'étendue de sa tristesse, écoutant les autres égrener l'ennuyeuse et répétitive musique de leurs petits tracas quotidiens quand retentissaient à ses oreilles les symphonies que la vie lui avait jouées et l'écho persistant de la voix prononçant les mots d'amour que sa grâce n'avait cessé d'inspirer.

Le livre de mon père

L'hospitalisation pour ma néphrite juvénile dura une semaine entière. Chaque jour, mon père vint me conter l'histoire de son oncle comme un oiseau donne la becquée à l'oisillon. Il s'appliquait à raconter, avec fougue et concentration, successivement jovial et triste, devenant tour à tour tous les personnages. Il allait et venait dans la chambre, occupait l'espace tout entier, utilisait l'austère mobilier pour décor, transformait un drap en une grand-voile, montait sur la chaise quand son héros gravissait une montagne, ouvrait la fenêtre quand le vent soufflait, baissait le store lorsque tombait la nuit. Un navire voguait sur l'eau, il montait sur mon lit, en équilibre, le regard dans le lointain. C'était la guerre, les obus pleuvaient, il s'abritait sous la tablette près du mur, sous lequel était creusée comme une tranchée. La chambre était un grand théâtre où l'on jouait en matinée. Les représentations dissipaient la tristesse de mon rude quotidien hospitalier, faisaient oublier les prises de sang et les piqûres, adoucirent les effets du trocart que l'on m'enfonça au bas du dos pour pratiquer une ponction lombaire, apaisèrent la douleur provoquée par la biopsie du rein qui, selon le médecin, devait être une simple formalité mais qui s'avéra aussi effroyable qu'un coup de poignard dans le ventre.

— *Où en étais-je ? demanda mon père en entrant dans ma chambre au deuxième jour d'hospitalisation.*

— *Jacob préparait la Jacobine avec son fils.*

— *Merci, fiston, c'est exactement tel que mon oncle me l'a raconté, il préparait… Et voilà ce qui arriva…*

Au fil des années, Jacob se mit à rêver d'un ailleurs. Il était las d'être le confesseur de la misère humaine. Il voulait une autre vie pour lui et pour les siens et bientôt s'éveilla en lui le désir de partir pour l'Amérique, projet qui plongea Victor dans un grand désarroi, l'enfant n'ayant voyagé qu'une seule fois, à Alger, à l'occasion de l'enterrement de son grand-père, véritable expédition dont il conservait un douloureux souvenir.

Jacob projetait de partir à l'est des États-Unis, dans la ville d'Atlanta. Il avait appris qu'une compagnie y commercialisait avec succès un breuvage à base de kola qui possédait des pouvoirs médicinaux semblables à ceux de la Jacobine. Jacob était convaincu que l'Amérique serait assez grande pour deux potions magiques. Il espérait y faire fortune puis se retirer dans les montagnes du Montana, région dont le nom évoquait pour lui le calme des vallées verdoyantes dont il pensait avoir besoin pour finir ses jours.

— La firme, c'était Coca-Cola, papa ?
— Absolument, fiston.

Le rêve de Jacob devint son obsession. L'homme se ruina en livres, almanachs, dictionnaires traitant des États-Unis et commandés à une librairie spécialisée d'Alger. Il tapissa ses murs d'immenses cartes du continent américain, il devint familier des villes, des fleuves et des Grands Lacs, il connaissait par cœur la liste des présidents américains, celle des États confédérés et des généraux nordistes, avait étudié la doctrine Monroe et la loi Sherman Antitrust. Au prix d'une succession de démarches, il finit par obtenir un article de presse où était longuement développée l'histoire de la Compagnie Coca-Cola. Au-dessus de son lit était épinglée une affiche à l'effigie de la célèbre bouteille.

Le soir, il étudiait l'anglais dans des livres. Il le parlait avec sa femme qui n'y entendait rien, avec son fils qui répétait ses phrases sans les comprendre, avec ses clients inquiets pour lui.

À la nuit tombée, il sortait contempler les étoiles. Inspirant l'air du soir, il croyait sentir le souffle du destin.

Un jour, au bord de l'épuisement, il éprouva une gêne à la poitrine. La douleur irradiait au bras gauche, il comprit que c'était la fin. Il alla embrasser son fils, lui demanda de ne garder que le meilleur de lui, vint étreindre sa femme, implora son pardon pour ce qu'il n'avait pas su lui offrir, la couvrit de baisers, embrassa d'un regard son visage, comprenant trop tard le bonheur à côté duquel il était passé. Il s'étendit sur son lit, ferma les paupières, dit adieu à la vie, et expira son dernier souffle.

— Elle est terrible, ton histoire, papa.
— Le plus beau reste à venir, fiston...

Comme le veut la tradition, on pleura Jacob une année entière durant laquelle, chaque matin, le jeune Victor entonnait la prière du Kaddish. Loin du petit oratoire où les siens se recueillaient, il allait au sommet de la colline où commençait le grand désert, contemplait l'infini, convaincu que le vent, à la tombée du jour, porterait sa prière vers l'âme de son père.

— Je n'aime pas ce passage, papa.
— J'ai vécu cette année de deuil pour mon père et tu la connaîtras aussi. C'est la vie qui veut ça, Laurent.

Victor pria ainsi, chaque jour, toute une année, comme le prescrivent les lois de notre religion, un an de deuil pour l'enfant, une année de Kaddish quotidien pour le disparu. Au terme de ladite année, sa mère lui dit : « À partir de ce jour, tu n'es plus en deuil, mon fils. Désormais, ton père vit en toi comme il vit en chacun de ceux qui l'ont connu. Il peuplera tes souvenirs et il veillera sur toi. À l'improviste, tu verras son visage, tu sentiras son souffle et tu revivras un moment joyeux du passé. Maintenant, sois heureux et va courir après le vent du désert. »

L'achèvement de la période du deuil n'eut pas l'effet escompté sur le garçon. Il continuait de ressentir le poids de l'absence malgré l'injonction au bonheur prodiguée par sa mère. Inquiète de voir ce garçon autrefois si jovial verser dans la mélancolie, elle décida de l'envoyer chez son cousin à Alger. Elle avait dans l'idée que le grand bain de la ville finirait par dissiper sa douleur d'orphelin. Elle-même avait perdu son père très jeune. Ce n'était pas la fin du monde mais le début d'une autre vie moins insouciante, moins légère. Mais c'était la vie malgré tout.

Dans la valise du garçon, elle glissa le document recélant la formule de la Jacobine, ainsi que trois fioles de la mixture avec la promesse de ne les boire que si nécessaire. Après quoi, on se dit adieu.

Loin de son village natal, le garçon demeura d'humeur morose. À l'école, ce fort en thème était classé dernier, il écoutait ses maîtres sans les entendre, l'esprit ailleurs, il regardait toujours par la fenêtre, les yeux tournés vers le ciel, collectionnait zéros pointés et bonnets d'âne, punitions et humiliations. Son air toujours absent intriguait ou agaçait ses camarades.

Il était le sujet de toutes les conversations. Dans la cour de l'école on l'encerclait, le menaçait, le maltraitait. Il se vivait en étranger.

Le père de sa famille d'accueil l'élevait comme un fils. Il désespérait de lui voir retrouver cet allant dont sa mère lui avait parlé, lui prodiguait plus d'attention qu'à aucun autre de ses enfants, jouait avec lui d'interminables parties de cartes, d'échecs, de backgammon, organisait des parties de pêche le long des criques de la baie d'Alger. Rien ne venait à bout de la tristesse de Victor.

Les années passèrent. Au collège, on ne se souvint plus des raisons pour lesquelles on l'insultait, le frappait, le menaçait. On ne comprit plus le pourquoi de cette fureur contre un garçon si effacé, qui refusait avec tant d'obstination de se soumettre à la règle. On se mit à regretter cette débauche d'énergie dépensée contre lui. On ne le traita plus en ennemi, on ne prêta plus attention à lui, on ne lui adressa plus la parole. On finit par trouver un autre bouc émissaire que l'on avait de meilleures raisons de détester puisqu'il ne portait pas un nom comme les autres.

Le temps passa, Victor eut dix-sept ans. Il traînait son désarroi dans les rues d'Alger, seul comme à l'ordinaire. Il s'attabla à un café de la place Randon où il avait ses habitudes. Alors qu'il demandait un verre d'eau sucrée, le serveur lui proposa une nouvelle boisson, certifiant que le patron l'avait rapportée d'un voyage à New York. Là-bas, c'était la grande mode.

« Tu sais bien que je n'ai pas de quoi m'offrir la mode, répondit Victor en haussant les épaules.

— C'est cadeau ! s'exclama le serveur. Nous l'offrons aux clients. Cela s'appelle la politique commerciale.

— Commerciale ou anticommerciale, je me moque de la politique, fit Victor de son air las. Donne-moi un verre d'eau sucrée.

— Je te dis que c'est offert ! Nous en avons commandé des quintaux, et crois-moi, ceux-là ne seront pas gratuits. Profite de l'offre commerciale, toi qui ne profites jamais de rien ! »

À peine eut-il trempé ses lèvres sur les bords du verre que le garçon fut submergé par l'émotion. Le pourpre monta à ses joues, son cœur se mit à palpiter, le bout de ses doigts tremblait. Il était transporté par une joie intense en un lieu connu de lui seul. Il se vit soudain au côté de son père, en train de goûter un verre de Jacobine que l'homme lui tendait attendant sa réaction avec une impatience dans le regard. Le serveur vint lui signaler d'un ton moqueur qu'il parlait tout seul. Victor nia d'un hochement de tête.

« Je te dis que tu parles tout seul ! Tu viens de dire : "Elle a un goût de paradis, papa." »

Victor se leva, quitta le café, courut jusqu'à la maison, se précipita dans sa chambre, ouvrit sa valise, en tira une fiole de Jacobine, retira le bouchon de liège, but d'un trait. Cela dépassait en intensité, en nuances, en saveur, en authenticité la boisson au kola qu'il venait de goûter, mais pour un palais moins averti, les deux boissons se ressemblaient comme deux gouttes d'eau gazeuse.

Cette nuit-là, Victor ne parvint pas à dormir, hanté par une idée qu'au début il repoussa tant elle paraissait insensée mais qui, au fil des heures, finit par s'imposer avec la force de l'évidence. Au petit jour, il était résolu à reprendre le flambeau de l'héritage familial.

Son rêve en tête, l'oncle Victor embarqua à Alger en direction de Marseille à bord d'un vieux rafiot d'une trentaine de mètres qui transportait dans ses soutes des cargaisons de dattes destinées à la métropole. Lorsque Victor vit la Ville blanche s'éloigner et se fondre dans la brume du matin jusqu'à devenir un point fixe à l'horizon, il ne ressentit pas une once de tristesse. Il abandonnait son chagrin d'orphelin sur sa terre natale et laissait derrière lui l'époque des nostalgies qui avaient miné son enfance. Le regard perdu dans l'immensité bleue, il respira à pleins poumons la brise de la mer et le parfum de sel qui flottait dans l'air. Il se sentait à l'aube de grands moments de fièvre.

Durant sa traversée de la Méditerranée, il affronta des vagues de cinq mètres, des orages de grêle, des avaries terribles dont une voie d'eau dans la coque provoquée par un choc d'une violence inouïe et qui laissa penser qu'on avait heurté un récif. Le coupable était un cétacé, une baleine énorme, aussi furieuse que si on lui avait enlevé ses petits, et qui s’acharna contre le bateau comme si elle avait un compte à régler avec son capitaine. On dérouta le navire pour faire escale et réparer les dégâts dans le port d’une petite ville grecque du nom d’Ismaros dans laquelle, pendant ces longues journées d’inaction, on perdit un tiers de l’équipage, tenté par la boisson, attiré par les plaisirs de la chair ou égaré par les rêves d’un ailleurs champêtre qui hantent tous les marins durant les tristes nuits noires sur les mers australes privées du moindre souffle de vent, où l’homme ronge son ennui à tenter de deviner un soupçon de clarté dans les ténèbres opaques et voit comme un espoir le foyer de terre ferme qu’il s’est évertué à fuir tout au long des années. Les plus déterminés reprirent la mer. À hauteur de Brindisi, le bateau fut à nouveau attaqué, cette fois par une bande de brigands que le courage des marins parvint à mettre en fuite à l’aide de fusils de contrebande qu’on cachait dans les soutes. L’affrontement coûta la vie à deux matelots qui avaient hésité, à l’instant fatidique, à appuyer sur la détente tandis qu’on les visait, redoutant plus encore le meurtre que la mort et payant au prix fort leur grande humanité.

On accosta enfin dans la cité phocéenne, où Victor trouva près du port, dans une pension, une petite chambre sous les toits où se reposer quelques jours. L’enchaînement des mésaventures le laissait comme au sortir d'un mauvais rêve. Il aspirait au silence et à la solitude, à la douceur et au bien-être. Il avait aussi besoin d'y voir clair.

Les premières lumières du jour le réveillaient à travers les persiennes, semblables aux aubes de son enfance quand son père le tirait du lit pour une promenade à travers les collines et qu'il avançait près de lui, les yeux tournés vers un ciel criblé d'étoiles pâlissantes, la tête encore pleine des sortilèges de la nuit. Victor descendait jusqu'au port et s'asseyait à la terrasse d'un café pour prendre un grand bol de thé accompagné de gâteaux au goût anisé, en feuilletant d'un œil détaché le quotidien Le Petit Marseillais, *toujours posé sur la table. Après quoi il partait flâner dans la ville, se perdait dans le dédale des ruelles, longeait les devantures des grands magasins d'un boulevard, s'imprégnait de la gaieté des passants pris par le charme des richesses étalées sous leurs yeux et pourtant destinées à d'autres. Il prolongeait par une balade jusqu'à la corniche, descendait le long des rochers, plongeait pour quelques brasses dans la mer, laissait le frôlement des vagues et les scintillements de lumière effacer de sa mémoire ce que, durant la traversée, il avait compris de la cruauté des hommes.*

Un matin, il vit sur la grand-place un gigantesque attroupement. Il se mêla à la foule, prêta l'oreille. Posté sur une estrade de fortune, l'orateur, accoudé au pupitre, un chapeau melon sur la tête, une barbe descendant jusqu'au cou, clamait d'une voix de ténor roulant les r *:*

« La société capitaliste se comporte toujours avec violence contre la classe ouvrière même quand elle veut la paix. Elle porte en germe, dans son essence même, la guerre comme le nuage porte la pluie. »

Un des voisins de Victor, vêtu d'une râpeuse et portant une casquette à bord rond, un mégot de cigarette à la bouche, lui demanda ce qu'il pensait du discours. Le jeune homme répondit qu'il était d'accord sur l'essentiel. « Alors rejoins Jaurès, viens avec nous ! » s'écria le type avec enthousiasme. Victor hésita quelques secondes puis déclina la proposition. Une mission l'attendait, il lui fallait exaucer le dernier vœu de son père. L'autre le dévisagea avec un air d'incompréhension où pouvait se lire une once de mépris. Victor le salua et poursuivit sa flânerie.

Le matin suivant, la lecture des pages intérieures du Petit Marseillais *du 30 juin 1914 lui apprit que le Tour de France passerait prochainement près de la cité phocéenne, l'archiduc François-Ferdinand, héritier du trône d'Autriche-Hongrie, avait été assassiné à Sarajevo, le film* Charlot est content de lui *serait projeté sur la grand-place à 17 heures. Victor quitta la ville, reposé et l'esprit en paix.*

Il prit quantité de trains, attendit sur les quais de quantité de gares, il rencontra des hommes riches qui voyageaient en première, semblant débarqués du siècle passé avec leur volumineuse malle portée par des employés de la gare aux ordres, leurs épouses engoncées dans des robes qui étouffaient leur buste et leur gonflaient la gorge. Des pauvres qui ne possédaient rien partagèrent avec lui quelques olives, un bout de pain. D'arrogants Parisiens se souciaient toujours de savoir s'il montait à la capitale et, sans écouter sa réponse, lui recommandaient les lieux où dormir et festoyer, les endroits à ne pas manquer. À n'importe quelle heure du jour, des provinciaux déjeunaient comme au banquet, tirant de leur panier des victuailles alléchantes et n'hésitaient jamais à lui proposer de les manger avec eux.

À chaque endroit où il posait son sac, on lui demandait où il allait ainsi, il expliquait : « En Amérique, vendre mon héritage. »

On lui allouait un sourire affectueux. Il faut bien que jeunesse se passe. On le prenait en sympathie, on lui prodiguait des conseils, on lui recommandait de retourner là d'où il venait, d'y trouver une gentille jeune femme, de fonder une famille en attendant ses vieux jours. La vie n'offrait rien de mieux, il devrait bien le comprendre.

Quand il racontait son histoire, celle de son père, la sienne propre – puisque après ce qu'il avait vécu c'est comme s'il avait une histoire –, on le dévisageait avec admiration, on poussait des Oh ! des Ah ! Des âmes sensibles versaient une larme.

« Mais, petit, lui demanda un matin un vieil homme à la gare de Mâcon, tu ne sais pas que le

monde est au plus mal ? Il souffle un parfum de haine et de fureur. Tu pars quand la guerre survient ? »

Victor ne comprit pas ce que le vieillard voulait dire, mit ses propos sur le compte de l'inquiétude des gens âgés confrontés au vertige de l'inconnu, aux bouleversements naturels que les progrès de l'humanité engendrent. Il poursuivit sa route et parvint au port du Havre au premier jour d'août 1914.

— Mais, papa, 1914, c'est le début de la guerre où ton père a été blessé ?

— On y arrive, fiston, ne sois pas si impatient.

Le transatlantique qui devait conduire l'oncle Victor en Amérique appareillait le lendemain. Victor s'était installé à l'abri des murs d'un entrepôt pour passer sa dernière nuit sur le continent européen. Il écrivit à sa mère une longue lettre où il lui répéta tout son amour, lui demanda de ne pas s'inquiéter pour lui. Une fois fortune faite, il la ferait venir en Amérique. « Je t'aime, petite maman », conclut-il de sa plus belle écriture. Puis il roula la lettre dans une bouteille vide, marcha jusqu'à la jetée, lança la bouteille à la mer, convaincu qu'elle trouverait sa destinataire aussi sûrement que lui rencontrerait son destin.

Après quoi, épuisé par la fatigue et les émotions du voyage, cherchant dans le sommeil les forces dont il aurait besoin les jours suivants, il s'endormit aussitôt.

Dans l'inconfort de son lit de fortune, il fit un rêve étrange, où s'entremêlaient le visage de son père, la dernière étreinte de sa mère, les silhouettes de femmes et d'hommes qu'il avait croisés sans qu'il puisse y trouver une explication rationnelle – la logique n'était pas le point fort de ses rêves. Il entendit soudain hurler à ses oreilles, sentit contre ses côtes de violents coups de pied. Ouvrant les paupières, il découvrit le regard menaçant de deux gendarmes, se vit soulevé par les épaules et, sans avoir le temps de dire ouf, se retrouva les menottes aux poignets. La guerre avait été déclarée. On recherchait les déserteurs.

« Je ne déserte rien du tout !

— Tu voulais retrouver ton régiment en prenant le bateau pour l'Amérique ? »

On le contraignit à monter dans un train jusqu'à une ville de garnison où il rejoignit une brigade d'infanterie et retrouva les bataillons qui, comme lui, venaient d'Afrique du Nord. On le fit courir dans le froid du petit matin. On lui donna un fusil Lebel dont un sergent lui enseigna sommairement le maniement. Il fut vêtu d'un pantalon rouge garance, d'une redingote bleu marine, on le chaussa de guêtres et de brodequins, on le coiffa d'un képi puis on l'envoya au front où, aux premiers jours de combat, tombèrent la plupart de ses camarades d'infortune aussi peu habiles que lui à recharger leur Lebel. Son rêve de justice en tête, Victor tenait encore debout quand la guerre des tranchées s'installa. Son secret pour survivre était de bien dormir. Au milieu de la puanteur qui montait des monticules de terre où les soldats allaient crever pour gagner un mètre de ligne de front avant de le reperdre aussitôt, il se remémorait le goût de la Jacobine, et ce seul souvenir agissait comme un puissant somnifère. Au matin, lorsqu'une nouvelle attaque était déclenchée, il s'élançait, ragaillardi par sa nuit, et tandis qu'autour de lui les jeunes soldats, épuisés, hagards, s'effondraient, les obus de 75 ne le faisaient pas chanceler, il courait à l'assaut des lignes adverses, frénétiquement, avidement. Il voyait la ligne de front comme l'ultime obstacle à la réalisation de son rêve, le dernier rempart avant Atlanta. Son imagination et son amour filial faisaient de lui un homme indestructible que les balles semblaient éviter.

— Il faut que j'y aille, fiston. Je reprendrai demain.

— C'est demain que Victor rencontrera ton père ?

— Absolument, Laurent, allez, bonne nuit…

Je m'endormis cette nuit-là, plus fébrile que d'ordinaire, dans l'attente du récit de la rencontre entre le grand-oncle Victor et mon grand-père, cet instant magique où la légende rejoindrait la réalité.

Le temps des adieux

À l'hôpital central de Tel-Aviv, chaque matin aux alentours de 9 heures, une petite troupe de médecins franchit la porte de ta chambre avec cet immuable entrain, jovial bourdonnement de ruche qui s'interrompt aussitôt que le médecin chef reçoit des mains de son subalterne ton dossier médical pour en consulter les pages comme on sonne la fin de la récréation.

Je me tiens à tes côtés, après avoir passé la nuit auprès de toi, t'ayant rasé de frais. J'exige que tu sois éveillé et que tu te tiennes droit. Quand la maladie te rend incertain et confus, je te pince le bras pour que tu offres à l'assistance qui va décider de ton sort le visage le plus avenant possible. Je ne veux pas éveiller les soupçons du professeur, faire germer dans son esprit l'idée d'un combat perdu d'avance.

Je connais pour l'avoir vécue à maintes reprises la lassitude qui, au fil des jours, gagne le personnel soignant face au patient dont l'état ne présente ni amélioration significative ni aggravation majeure et dont le cas ne parvient plus à réveiller l'intérêt qu'avait suscité, aux premiers temps d'hospitalisation, l'énigme de sa pathologie. Ce patient, qui refuse de guérir malgré les moyens mis en œuvre, déçoit les attentes, trompe les espoirs du médecin et trahit en quelque sorte l'essence de sa vocation. Il offense bien malgré lui la bonne volonté de l'équipe soignante. Au bout de quelque temps, las de se voir incompris, le médecin finira, inconsciemment, par se tourner vers des patients compliants aux soins et dont l'état répondant au traitement flattera son ego. Quelles que puissent être leurs conséquences désastreuses, les erreurs médicales sont la plupart du temps causées par de simples fautes d'inattention. Ce malade qu'on avait accueilli à bras ouverts, fasciné par le défi que représentait sa guérison, vous a montré vos propres limites et vous a conduit à vous désintéresser de lui. Vous finissez par ne plus prendre en compte, par manque de concentration ou par arrogance, les détails qui mènent aux plus justes diagnostics ou aux erreurs fatales.

— Alors, comment va Lucien ce matin ? demande le professeur d'un ton faussement badin, empreint d'une pointe de lassitude, se tournant dans ma direction comme si tu n'étais pas là.

— Interrogez-le vous-même, vous verrez... Papa, dis-leur comment tu vas.

Tu poses un regard las sur moi, et lances, furieux et peiné à la fois, d'un filet de voix où tu tentes d'exprimer ton agacement :

— Mais je vais, bien Laurent ! Pourquoi veux-tu sans cesse que je n'aille pas ?

— C'est le professeur qui le demande, papa.

— Eh bien, dis-le-lui ! Moi, il ne m'écoute pas.

— Vous voyez, dis-je au professeur avec la même expression de satisfaction feinte que si j'avais été un de ses plus studieux étudiants, mon père s'emporte, c'est qu'il va bien.

L'homme acquiesce d'un hochement équivoque de la tête.

Certains jours, je ne parviens pas à te sortir à temps de ta léthargie. Le professeur pose un œil désolé sur toi. Au ton des propos murmurés à son assistant, je saisis les doutes qui l'assaillent quant au fait de poursuivre ce qui pourrait s'apparenter dans son esprit à de l'acharnement thérapeutique. J'enrage intérieurement. Si seulement il t'avait vu hier après-midi, s'il avait une idée de ta capacité à te relever des situations les plus critiques, s'il t'examinait à l'instant où tu es au mieux, il ne pourrait céder au renoncement. Mais le professeur ne croit que ce qu'il voit, un vieil homme amaigri, les membres décharnés, le ventre ballonné par l'ascite, confus, somnolent, incapable d'aligner trois mots. Papa, réveille-toi, montre-leur qui tu es ! Ils vont croire que tu as lâché l'affaire ! Les médecins jugent sur les faits, font des choix binaires, on continue, on stoppe. La panoplie de traitements de dernière génération dont tu bénéficies coûte une fortune, ils donnent volontiers le meilleur pour toi, mais il faut qu'ils devinent une amélioration, il ne faut pas désespérer les médecins, papa !

— Il n'a pas l'air d'aller fort, Lucien, dit le professeur ce matin-là, tout en parcourant ton dossier.

— Vous seriez venus il y a une heure, vous l'auriez trouvé en pleine forme.

Le professeur me jette un regard accusateur comme si j'avais brisé le lien de confiance entre nous en n'osant plus affronter la vérité en face. Je suis passé du stade de précieux allié à celui de fils aveugle à la réalité.

Un peu plus tard, je tente de tout reprendre à zéro avec toi pour le matin suivant. Je te sermonne, je te prépare psychologiquement à ces quelques minutes de visite capitales qui décideront de ton avenir.

— Papa, lorsqu'ils arriveront demain matin, essaie de te réveiller, c'est important.

— Important pour quoi ?

— Il faut que tu leur montres que tu vas bien.

— Mais je ne suis pas sûr d'aller bien, fiston.

— Je te promets que cela va aller.

— Tu dis toujours ça, ça va aller… ça va aller… Et finalement, ça ne va pas.

— Essaie d'abord de te redresser.

— Comment veux-tu que j'arrive à me redresser avec mon ventre ? On dirait une baudruche pleine.

— Ils vont ponctionner l'ascite en fin d'après-midi.

— Mais ils l'ont déjà évacuée hier. Je ne veux pas faire le difficile, Laurent, mais j'en ai assez qu'on me transperce le ventre avec des aiguilles.

Pour te changer les idées, je dis d'un ton plus apaisé :

— Le mois dernier, en descendant à Nice, je suis retourné à Saint-Jean-Cap-Ferrat où tu m'emmenais pêcher. J'ai filmé. Tu veux voir ?

Tu contemples sur l'écran du téléphone la baie de Villefranche. Le miroitement de la mer sous la lumière du matin imprègne le froid silence de la chambre de délicatesse et de grâce.

— Je crois n'avoir jamais rien connu de plus beau, affirmes-tu.

Je laisse le portable allumé, je me mets à te filmer, ignorant que ce seront là les images ultimes que je posséderai de toi, moi qui ai filmé des heures entières de ta présence.

— Nous en avons vécu des choses ensemble, n'est-ce pas, papa ?

— Des choses magnifiques, Laurent ! Et ça n'est pas fini. Dis, ajoutes-tu après quelques secondes de réflexion, sur quoi travailles-tu actuellement ?

— Je poursuis le roman sur Romain Gary dont je t'avais parlé, papa.

— Ah oui, Gary, c'est vrai, un beau sujet qui t'ira bien. Gary, Zweig, Einstein, ce sont des humanistes. Tu as raison de faire entendre leur voix aujourd'hui… Tu as choisi l'angle du père, cela me revient maintenant… Cela te travaille, n'est-ce pas, toutes ces histoires ? Tu as été un bon fils, et tu es un bon père aussi. C'est dommage que tu n'aies pas connu mon propre père. Il t'aurait inspiré un roman entier. C'était quelqu'un, mon père.

Ton visage retrouve un halo de tristesse que je veux dissiper en demandant :

— Finalement, tu ne m'as jamais dit lequel de mes romans tu préférais.

Cet homme de quatre-vingt-sept ans, plongé quelques heures auparavant dans la stupeur, s'engage alors avec une parfaite acuité dans l'exégèse de ces livres dont il a toujours été l'exigeant et bienveillant lecteur. Après que tu as résumé en une ou deux phrases chacun de mes sept ouvrages, tu conclus :

— Au final, je crois que j'ai préféré l'histoire du père et du fils.

— Celle qui se déroulait à Phoenix ?

— Pas celle-là.

— La première, celle de Nathan et des *Mauvaises Pensées* ?

— Non plus.

— Celle d'Eduard Einstein ?

— Non, une autre.

C'est en terminant l'énumération que je compris que tous mes romans, excepté le livre sur Zweig, exploraient la relation entre un père et son fils.

Tandis que je continue de filmer, un infirmier entre dans la chambre pour prélever ton sang. Le dernier enchantement est passé.

Le lendemain matin, bien avant l'heure de la visite, je t'aide à prendre ton petit déjeuner. Après avoir bu un demi-bol de café au lait, tu refuses, d'un mouvement de recul, la cuillère de fromage blanc tendue vers tes lèvres.

— Tu n'as plus faim, papa ?

Tu jettes vers moi un regard triste et implorant. Soudain tu te mets à vomir du sang. Une éruption ténue et silencieuse jaillit de tes lèvres, un flot lent et continu que je tente de recueillir dans la paume de mes mains pour éviter qu'en se répandant sur ta blouse il ne t'affole sur ton état. Je m'interdis de hurler pour prévenir une infirmière. Je n'ai pas assez de mes dix doigts pour contenir le liquide rougeâtre. Je tremble que tu ne décèdes sous mes yeux, ce matin de printemps, en te vidant de ton sang. Je parviens à appuyer sur l'alarme près du lit tandis que tu me fixes d'un long regard à la dérive, ne semblant pas saisir ce qui se passe, demeurant presque impassible, d'une dignité absolue, tandis que je m'en veux de laisser transparaître sur mon visage la terreur que m'inspire ta détresse.

Aussi soudainement qu'il avait jailli, le flux de sang se tarit. Une jeune médecin arrive dans la chambre, vérifie les constantes, t'examine avec des gestes calmes, ausculte ton cœur et tes poumons, puis annonce laconiquement : « Votre père est en train de nous livrer le secret de sa maladie. » Je comprends alors seulement que les médecins ne sont toujours pas parvenus à établir un lien entre toutes tes pathologies et à poser un diagnostic. Avant de quitter la pièce, la jeune femme me demande de venir dans son bureau l'après-midi. « Vous m'avez dit que vous partiez ce soir, n'est-ce pas ? »

Quand elle a quitté la chambre, tu as retrouvé un regard aussi apaisé que si rien n'était advenu. Au bout d'un temps, tu murmures, sur le ton de la confidence :

— Tu sais, hier je me suis souvenu de ce qui s'était passé dans la pharmacie de l'avenue des Arènes de Cimiez.

— La pharmacie de la famille Derrida ?

Tu retrouves un large sourire.

— Je ne te l'ai jamais dit, mais je sais que tu n'as rien demandé au pharmacien… Cela se lisait sur ton visage que tu mentais. Alors je suis retourné à l'officine le lendemain, et le pharmacien m'a tout raconté. On a ri de bon cœur, en affreux pères qu'on était.

Tu pars dans un éclat de rire qui te secoue tout entier et déclenche une quinte de toux au terme de laquelle tu craches encore un mince filet de sang. Tout occupé à ta joie, tu sembles n'avoir pas remarqué les traces rouges sur ta blouse. Je détourne ton attention et essuie précautionneusement le tissu pour ne pas t'alarmer sur la gravité de ta maladie dont je doute que tu sois entièrement conscient – à moins qu'une fois de plus, une dernière fois, toi qui resteras lucide jusqu'aux derniers instants, tu ne continues à te jouer de ma crédulité pour éclaircir l'affreuse noirceur de ces jours-là.

Mon avion décolle à 16 heures. J'ai à peine le temps de voir la doctoresse, de revenir te dire au revoir et de filer dans un taxi. Je frappe à la porte du bureau des médecins et entre. La jeune femme me propose de m'asseoir, tient un résumé de la situation, l'insuffisance rénale n'explique pas tout. La dialyse améliore ta condition mais les risques sont connus et majeurs. « Nous ne sommes pas très optimistes », avoue-t-elle. Elle se saisit d'une radio sur son bureau, la glisse sur le négatoscope face à elle, pointe de l'index une image blanche sur les poumons :

— Nos médecins n'arrivent pas à statuer sur cette opacité, vous êtes radiologue, qu'en pensez-vous ?

Mon sang se glace. Je réponds :

— Ce que vous me demandez est compliqué. Je ne peux pas être très objectif sur la question.

Elle admet la difficulté de l'exercice. « On finira bien par trouver », conclut-elle. Elle s'enquiert de mon retour, je réponds « dans une dizaine de jours ». Nous nous saluons, avant de quitter le bureau, je jette un dernier coup d'œil à la radio.

— Une pathologie infectieuse atypique, je suggère d'une voix la plus assurée possible.

Elle prend un air dubitatif.

— Nous y avons pensé. Nous hésitons avec une pathologie de type auto-immune. Merci en tout cas. Et bon voyage.

Je quitte le bureau et retourne te dire un dernier au revoir.

— Je pars, papa, je serai de retour dans moins de deux semaines.

Je te murmure de tenir bon.

J'ai beau creuser dans mon esprit, forer un à un chaque souvenir, repasser en boucle le moindre de ces instants, je n'arrive pas à me rappeler si tu m'as octroyé une ultime fois la bénédiction que les pères font à leurs enfants. Si tu as posé ta main sur moi. Ça n'est pas tant que je crois au pouvoir de cette prière, c'est que l'intention qu'elle exprime manque aujourd'hui si cruellement au-dessus de ma tête.

Je nous revois nous embrasser et nous dire au revoir. Cette étreinte fut la dernière que je reçus de tes lèvres, l'ultime d'une infinité d'attentions qui ont bercé un demi-siècle d'existence.

Le lendemain, à Paris, aux alentours de 20 heures, la sonnerie du téléphone résonne dans l'appartement. Ma sœur, effondrée, m'informe que tu as été placé en service de réanimation, intubé et ventilé. On craint une septicémie.

Je raccroche et vois le long couloir qui sépare les chambres des patients et la salle de réanimation.

Tu es passé de l'autre côté.

Nos retrouvailles

— Vous n'avez presque rien mangé, cela vous dérange si je prends votre yaourt avant que l'hôtesse ne ramasse les plateaux-repas ? me demande ma voisine. Et si vous permettez, le petit bout de fromage dans son plastique. Les voyages me creusent l'estomac…

Bientôt nous reparlons littérature. La jeune femme veut savoir si, selon moi, il est juste de dire que les écrivains écrivent toujours le même livre.

— Vos romans de jeunesse, ajoute-t-elle, ceux qui n'ont jamais été publiés, ils traitaient déjà de vos sujets de prédilection ?

— Le plus abouti, je réponds après réflexion, était un recueil de nouvelles dont l'une s'intitulait *L'Histoire du dernier juif sur terre.*

— Du dernier juif ?

— Je l'avais écrite après un voyage à Prague. Marcher dans l'ancien ghetto, nouvellement rénové et traversé par les seuls fantômes de ses habitants exterminés, donnait l'impression d'arpenter les salles d'un musée. Dans mon texte, les nazis, après avoir remporté la guerre, avaient étendu la Solution finale à l'Amérique et à l'Afrique du Nord. Ils avaient regroupé en un même lieu les derniers représentants de la « race juive ». Le dernier juif russe, le dernier juif algérien, le dernier des Rothschild et le dernier rabbin, le dernier cordonnier, le dernier médecin juif. Ce petit monde s'efforçait de survivre dans le dernier ghetto.

— C'est terrible ! Comment cela finissait-il ?

— En cadeau pour les quatre-vingts ans du Führer, Himmler offrait de tuer jusqu'au dernier des juifs, comme, dans la réalité, pour l'anniversaire de Hitler, en avril 1941, le chef de la SS lui avait donné l'assurance que plus aucun juif ne vivrait sur le sol allemand, la promesse de *Mein Kampf* avait été tenue, l'Allemagne était devenue *Judenrein.* Dans ma nouvelle, c'était la planète entière qui l'était. Le rêve nazi devenu réalité.

— Il n'y avait rien de plus gai dans vos récits de jeunesse ?

— Il y avait aussi l'histoire d'un travesti qui se faisait appeler Poupette.

— C'est peut-être plus drôle ?

— Je ne crois pas…

— Poupette en était le héros ?

— C'était son histoire racontée par l'étudiant en médecine que j'étais alors. Une sorte de récit enchâssé. La lecture de Zweig était passée par là…

— Racontez-moi celle-là...

À mi-parcours de mes années de médecine, au milieu des années 1980, apparut une mystérieuse maladie censée toucher exclusivement ceux que le cours de maladies infectieuses désignait comme les « 4 H » – Haïtiens, Héroïnomanes, Homosexuels, Hémophiles. Le mal faisait des ravages outre-Atlantique. Il se traduisait par une accumulation de symptômes graves, disparates et sans liens identifiables, que l'on rassembla sous le nom de syndrome d'immunodéficience acquise. L'agent contaminant était nommé le « virus LAV ». Si on ne parvenait pas clairement à saisir ses mécanismes de transmission et son mode d'action, on claironnait déjà qu'un vaccin serait disponible dans les dix ans à venir.

Je suis, à cette époque, externe dans le service de médecine interne du professeur D., lieu d'ordinaire d'un grand calme, dont les fenêtres donnent sur les arènes de Cimiez et qui vibre, les soirs d'été, du son d'un festival de jazz.

Ce matin-là, le service est agité d'un branle-bas de combat. On attend, fébriles, l'arrivée d'un patient infecté par la nouvelle maladie. Sa chambre a été stérilisée. Toute personne ayant à l'approcher doit porter des gants et un masque. La surveillante vient m'expliquer que des précautions exceptionnelles s'imposent pour l'interrogatoire de celui qu'elle présente comme un travesti. Elle me tend un dossier médical lui-même enveloppé dans une pochette stérile.

Des ambulanciers bardés de protections conduisent dans le couloir un patient à demi assis sur son brancard, placide et souriant sous le regard du personnel stupéfait autant qu'inquiet.

Un moment plus tard, je pénètre dans une pièce dont aucun lit ne semble occupé. Je m'apprête à tourner les talons quand, de sous les draps, surgit un visage hilare. « Coucou ! Je vous ai fait peur ? s'écrie le patient d'un air jovial. Depuis ce matin, on dirait que j'ai la peste. Tout à fait entre nous, ça ne pousse pas à consulter, vous savez. Moi, j'ai perdu quinze kilos avant de me rendre aux urgences. Mais bon, il n'est jamais trop tard. »

Je soulève la couverture pour débuter l'examen clinique.

« Il n'est jamais trop tard, n'est-ce pas ? »

Le corps est squelettique, la peau parsemée de taches rouge vif qui m'évoquent le sarcome de Kaposi décrit dans mes cours.

« Tout le monde m'appelle Poupette, mais mon vrai prénom c'est Jean-Pierre. »

Examinant les aisselles et les aines, je les trouve envahies d'innombrables et volumineux ganglions.

« Jean-Pierre, c'est un prénom d'expert-comptable. Cela doit être le métier le plus ennuyeux du monde avec gardien de parking… »

Je palpe au bas des côtes gauches une énorme masse, ne parvenant pas à imaginer qu'une rate puisse être aussi volumineuse. Le foie descend tout aussi bas.

« Ne croyez pas que j'en veuille aux experts-comptables ou aux gardiens de parking. Il en faut pour tous les goûts. C'est d'ailleurs ce que m'a répondu ma mère quand je lui ai avoué vouloir exercer en tant que travelo, même si j'ai bien vu un soupçon d'inquiétude sur son visage, elle connaissait les menaces qui pèsent sur le trottoir. »

Alors que j'ausculte ses poumons, il part dans une violente quinte de toux et je le laisse se rallonger. Revenu à lui, il m'affirme, que depuis peu, il voit des fleurs jaunes autour de lui. Son médecin généraliste lui a parlé d'un problème au cerveau. Pourquoi diable aurait-il un problème au cerveau ? Je débute l'examen neurologique en éclairant ses pupilles à l'aide de ma petite lampe. Elles ne réagissent qu'incomplètement.

« Vous savez, commente-t-il en riant, d'habitude les hommes ne prennent pas de gants avec moi… Je vous taquine. Mais bon, je suis persuadé que votre équipe trouvera le bon remède. »

L'étude du réflexe plantaire ne laisse rien présager de bon.

« Depuis qu'on parle de cette maladie au journal télévisé, on a ruiné le petit commerce. Je ne sais pas ce qu'on va devenir. Capucina, ma collègue qui travaillait rue de France, est partie en quelques jours. Je la revois encore tapinant le jeudi soir. Elle toussait un peu. Elle entendait des voix. Je connais plein de gens qui toussent, entendent des voix et vivent très bien ainsi. Le lundi suivant, on l'enterrait au cimetière de l'Est. Un beau cimetière, je ne dis pas, avec ses pins magnifiques, sa vue sur la mer imprenable, mais tout de même, de là à y passer le restant de ses jours… »

Je termine l'examen, recouvre le corps amaigri sous le drap.

« Dites-moi, beau jeune homme, je ne vais pas finir comme Capucina, n'est-ce pas ? »

Cinq jours plus tard, un gros morceau de scotch noir barre l'entrée de la chambre. Poupette avait rejoint le paradis des travelos.

— Avec ce genre d'expérience, je comprends que vous ayez eu envie d'écrire des choses tristes.

— Je ne suis pas sûr que l'on choisisse les thèmes de ses romans.

J'avais entamé la rédaction des *Derniers Jours de Stefan Zweig* sur le balcon d'un petit appartement loué sur les hauteurs de Nice des années après avoir quitté la ville. Je contemplais la Baie des Anges et le spectacle des montagnes se fondant dans le crépuscule en tombant dans les flots. Je n'avais alors plus d'éditeur, mon dernier roman ayant été un échec cuisant – et mérité. Je me demandais si j'avais publié là mon dernier livre, questionnement qui, sans doute, renforçait ma mélancolie en me ramenant des années en arrière, remettant les compteurs de ma vie d'écrivain – de ma vie tout court ? – à zéro. J'ignore par quel obscur mécanisme psychologique, comme une ou deux fois dans sa vie, on peut avoir l'impression que tombe la grâce, et aussi saugrenu que cela puisse paraître, ce spectacle des Alpes du Sud s'enfonçant dans la mer, qui n'avait de commun avec les rivages du Brésil que la très lointaine parenté qu'offrent toutes les baies du monde, associa dans mon esprit, mon chagrin aidant, la baie des Anges et celle de Rio. De la même façon que ma douleur d'écrivain et ma solitude d'alors, souffrance bénigne en apparence, si éloignée de celle de l'auteur viennois dans son exil mais portée par la funeste conviction que je ne publierais plus, me permirent peut-être de saisir l'intensité du mal qui rongeait Zweig, quand j'en avais appris les rouages intimes par ma lecture compulsive de ses textes. Et la brise du soir semblant souffler le parfum de tristesse qui m'avait empli à la lecture du *Monde d'hier*, je m'aventurai à rédiger, du haut de la colline du Parc-Impérial, sans notes, l'histoire de Stefan Zweig débarqué sur le lieu féerique et mortifère de son dernier exil, avec la sensation au bout de quelques lignes d'être traversé par l'émotion singulière qui m'avait étreint quinze ans plus tôt, et peut-être de pouvoir la transmettre. Je poursuivis dans une sorte de fièvre, puisant non pas dans les souvenirs des biographies dédiées à Zweig, ni même dans la vision trop maîtrisée délivrée par *Le Monde d'hier*, mais dans l'émoi provoqué par la correspondance qui m'avait rendu jadis le Viennois comme une sorte de grand-oncle disparu dont j'accrochais niaisement les portraits aux murs de ma petite chambre à l'internat. C'est seulement une fois cette première version achevée que je repris ligne à ligne le parcours de Zweig à travers les ouvrages qui lui avaient été consacrés, pour ajouter une somme d'exactitudes à ma vérité.

Le processus se renouvela quand, ayant terminé l'écriture d'une biographie d'Einstein pour la collection « Folio », et tandis que j'avais entrepris l'écriture d'un roman d'amour, il me sembla, à mon bureau, entendre s'entrechoquer la douleur des aliénés s'élevant des couloirs de l'hôpital psychiatrique niçois où j'avais commencé mon internat et la terrible solitude d'Eduard, le fils schizophrène d'Albert, souffrance jusque-là restée muette, tue par les héritiers, tourment d'une vie entière mentionné en quelques phrases dans toutes les biographies que j'avais pu lire. Mon roman d'amour attend toujours.

— Vous ne m'empêcherez pas de penser qu'il faudrait songer à voir la vie de façon moins tragique. Excusez-moi de changer de sujet, mais il y a une question qui me chiffonne depuis un bon bout de temps. J'espère que ça ne vous semblera pas déplacé. Je sais que c'est un problème sensible... C'est à propos de votre religion... Pour vous avouer tout de go, cela me choque qu'elle vous impose de vous marier entre vous. Je ne trouve pas cela très naturel, ni très ouvert pour un peuple qui s'enorgueillit d'avoir été le premier à s'être affranchi de l'esclavage. La religion catholique n'interdit absolument rien de tel. Elle n'est pas vraiment dans la proscription d'ailleurs, et c'est tant mieux, la vie est déjà suffisamment compliquée comme ça. Chez nous, on est autorisé à se marier avec un Noir, un Arabe ou un Juif, même si je dois avouer que ma mère trouverait sans doute à redire... Pour être totalement sincère, la question du mariage mixte me taraude parce que j'ai un petit béguin pour l'un de mes amis juifs qui m'a conduite à entreprendre ce voyage. Le garçon m'a parlé de la Terre promise avec des étoiles dans les yeux. Comme si un pays devait vous procurer ce genre d'émotion alors que vous avez devant vous une jolie femme ! Je suis certaine que vous vous êtes posé la question, vous qui êtes dans la transmission comme les parents du Samuel qui me plaît sont dans la confection. Je crains que Samuel ne soit pas prêt à succomber aux sirènes d'une Gentille, comme certains disent chez vous. Même si je suis convaincue qu'il n'est pas insensible à mes charmes, les hommes sont prévisibles, vous savez. Mais dès qu'il se sent céder aux visées qu'il a sur mon décolleté, je suis sûre qu'il doit entendre la voix de sa mère : « Samuel, cette fille n'est pas pour toi ! Elle va t'égarer hors du droit chemin ! Tes grands-parents, tes arrière-grands-parents n'ont pas vécu et ne sont pas morts en bons juifs pour que tu fêtes Noël autour du sapin ! » J'ai l'air de me moquer mais je suis sûre que je n'exagère qu'à moitié. Attention, je sais aussi que ça n'est pas simple. Je connais le poids des traditions. J'imagine quel fardeau cela représente aussi. Je comprends que cela soit compliqué pour Samuel, je sais bien que si sa femme n'est pas juive, ses enfants ne le seront pas, je suis au courant que ça ne marche pas dans ce sens-là, que, dans votre religion, le père ne vaut pas grand-chose pour ce qui est de la continuité. Je comprends aussi que cela puisse déboussoler Samuel que son fils ou sa fille ne soient pas juifs, parce que chez vous, cela compte énormément, en dépit des malheurs que ça vous occasionne... Mais mettons qu'il choisisse de m'épouser, ce qui, convenons-en, est une pure fiction, eh bien il deviendra le seul juif de sa petite famille, se sentira peut-être un étranger au milieu des étrangers, lui qui a toujours vécu juif au milieu des juifs. Ça peut lui donner le tournis vu que cela fait plusieurs millénaires que ses aïeuls font l'effort de prendre pour épouse une juive pour le simple avantage que leur fils ait une mère juive. Il aura l'impression de rompre la chaîne millénaire. Quand j'en suis à ce stade de ma réflexion, je me mets à penser à ma pomme. Je me dis, toi, Sandra, est-ce que tu te sens vraiment la force et l'envie de briser cette chaîne ? Est-ce que c'est dans ta nature de briser quoi que ce soit, toi qui es plutôt de nature pacifiste ? Est-ce que ta vie durant, à la moindre dispute, tu vas supporter de te l'entendre reprocher ? As-tu assez de force et d'amour pour Samuel pour endurer ça ? Pour tout vous avouer, je n'ai pas encore la réponse et ce voyage doit m'aider à la trouver... Dites, ça ne vous intéresse pas ce que je raconte ?... Pourquoi ne répondez-vous pas alors ?

— Excusez-moi, j'avais l'esprit ailleurs.

Mon père se montrait toujours ravi de rencontrer mes petites amies, qu'elles fussent juives ou pas, même si je dois concéder qu'il avait une préférence pour celles qui semblaient l'être, ce qui le conduisit à accomplir l'une des choses les plus insensées qu'il ait faites. À cette époque, tous les après-midi, en quittant l'hôpital, je partais étudier à la bibliothèque Masséna, aujourd'hui rebaptisée bibliothèque Romain Gary. La plupart des tables étaient occupées par des étudiantes en lettres et il flottait là un esprit bohème à des années-lumière de l'ambiance de compétition délétère qui régnait à la bibliothèque de la faculté de médecine. Les murmures des conversations tournant autour de Keats et de Mallarmé exhalaient un parfum d'ailleurs, m'entraînaient en terre inconnue, vers un monde où j'avais l'illusion que l'accomplissement intellectuel importait plus que la réussite et le statut social. J'observais, fasciné, mon entourage disserter sur des sujets tels que « *La notion de persona ou de l'auteur implicite ; problème d'ironie narrative* », ou « *La place du je autodiégétique dans les récits hétérodiégétiques* », questions dont je ne saisissais pas le sens, mais qui possédaient l'attrait que devaient avoir jadis, pour les aventuriers, les dialectes parlés par les autochtones des contrées inexplorées. Par un singulier paradoxe, moi qui étais perçu à la faculté de médecine comme un arrogant qui refusait le saint-esprit carabin, dédaignait de se mêler à ses condisciples, prenait de haut leurs jeux salaces et leurs blagues obscènes, considéré au mieux comme un doux rêveur ayant la naïveté de croire en son étoile, je bénéficiais à la bibliothèque Masséna de l'aura de la blouse blanche parmi les étudiantes en lettres, aux yeux de qui l'exercice de la médecine était paré de tous les oripeaux de vertu.

Un après-midi, je me retrouvai assis à côté d'une étudiante, plus apprêtée et plus âgée que ses voisines, aux yeux clairs et aux cheveux blonds et fins, vêtue d'une jupe et d'un chemisier sur lequel pendaient de longs colliers. Tandis que je m'appliquais à reproduire un croquis de la région du thorax et du cœur, je sentis son attention posée sur ma feuille, avant d'entendre une question qui augurait et résumait de façon un peu triviale ce que serait notre relation ultérieure :

« Vous travaillez l'anatomie ? »

Je la dévisageai en souriant, intimidé par la profondeur de son regard.

« Mon grand-père était médecin, fit-elle, et j'adorais cet homme plus que nul autre dans la famille. Mais c'était un docteur à l'ancienne, comme il n'y en a plus beaucoup… Vous, vers quelle spécialité vous orientez-vous ?

— Je veux être écrivain », je me hasardai à dire, oubliant la peur du grotesque.

Elle éclata d'un grand rire qui fit tinter ses colliers.

« Les hommes ne savent jamais ce qu'ils veulent ! s'esclaffa-t-elle. Mais, entre nous, ajouta-t-elle d'un ton réfléchi, je ne suis pas sûre que ce cours d'anatomie vous sera d'une quelconque utilité.

— Si vous avez d'autres pistes… risquai-je, troublé parce qu'elle avait avoué à demi-mot bien connaître les hommes – pour moi, c'était une première.

— Des pistes pour devenir écrivain… », répéta-t-elle dans un murmure avant d'entreprendre la fouille de son grand sac qui sembler receler un tas d'objets.

Elle en sortit un à un plusieurs ouvrages, dont elle parcourut successivement la jaquette, les reposant chaque fois d'un geste désolé, avant d'en brandir un, s'écriant d'un ton victorieux : « Voilà par où nous commencerons ! » Et elle avait prononcé *nous* comme si un couple venait de naître.

C'était un petit livre intitulé *Figures II*, dont l'auteur, Gérard Genette, m'était totalement inconnu. Elle en parcourut un passage en chuchotant entre ses lèvres, eut un petit hochement de tête résigné en murmurant pour elle-même :

« C'est peut-être un peu ardu pour un début. »

Je saisis le livre d'entre ses mains et lançai avec un accent de défi :

« Retrouvons-nous ici dans trois jours, vous verrez que sa lecture n'est pas trop rude pour moi.

— Tope là ! » s'exclama-t-elle dans un nouvel éclat de rire – et c'était déjà l'intimité du tutoiement.

Abandonnant sans regret mes cours d'anatomie, je plongeai dans la lecture de l'ouvrage avec la foi des nouveaux convertis. Le texte semblait écrit dans une langue étrangère. Je n'en saisissais pas un traître mot mais poursuivis la succession de chapitres, cavalier dans sa course d'obstacles, ne renonçant jamais devant la rebutante austérité de chapitres aux titres aussi obscurs que « *Vraisemblance et motivation* », « *Raisons de la critique pure* », « *Langage poétique et poétique du langage* ».

Quand je retrouvai Sonia F. soixante-douze heures plus tard, elle s'enquit de savoir ce que cette lecture m'avait apporté.

« Énormément ! répondis-je. Je sais maintenant que je dois arrêter d'écrire. »

Elle eut un air satisfait comme si ma réaction était prévisible, puis déclara, tout en me tendant un nouveau livre : « N'arrête pas avant d'avoir lu ça ! »

C'était un autre ouvrage de théorie littéraire, signé Jean-Pierre Richard.

« Bien, fis-je en élève appliqué. Nous nous retrouvons dans trois jours ? »

Elle fit non de la tête, glissa sa main dans la mienne, m'entraîna hors de la bibliothèque, et, tandis que je marchais dans ses pas sur le boulevard Victor Hugo sans savoir où elle me conduisait, elle s'arrêta pour m'offrir le plus fougueux baiser. Ma langue dans sa bouche, je savourais les délices du passage de la théorie à la pratique.

Sonia ne me fit pas seulement découvrir Blanchot, Perec, Sarraute et Benjamin, elle m'ouvrit les portes d'une sexualité débridée, comme je n'en avais encore jamais connu entre les bras de mes compagnes précédentes. Sans logement où les mettre à couvert, la voiture était le lieu de prédilection de nos ébats, et toutes les ruelles du quartier de Cimiez nous virent baiser un soir sur le siège arrière de la vieille Autobianchi – offerte à mon père par le concessionnaire Lancia en cadeau pour l'achat d'un modèle neuf.

Un veilleur de nuit d'un motel de la rue Dante qui abritait nos étreintes certains samedis de fête et où filait tout mon argent de poche, auprès de qui je tentais d'obtenir une remise au titre de ma toute récente fidélité à son établissement, me proposa une réduction importante si je l'autorisais à regarder nos jeux amoureux. Je l'éconduisis sans ménagement tandis que son offre n'avait pas heurté ma compagne.

Voulant joindre l'utile à l'agréable, Sonia me suggéra un jour de lire un extrait du *Discours du récit* de Genette pendant que nous faisions l'amour, m'assurant que nous en tirerions chacun un fort bénéfice. Je me souviens avoir joui sur : « *Les notions mêmes de rétrospection ou d'anticipation, qui fondent en "psychologie" les catégories narratives de l'analepse et de la prolepse, supposent une conscience temporelle parfaitement claire.* »

Sa grande affaire était de découvrir à travers moi l'univers hospitalier, monde que son imagination féconde identifiait davantage à un extrait du film *M.A.S.H.* qu'aux pages des *Hommes en blanc* d'André Soubiran.

Comme un échange de bons procédés, une nuit que j'étais de garde aux urgences de l'hôpital Saint-Roch, je la laissai endosser une blouse et m'accompagner dans le service contre la promesse de garder le silence sur notre petit forfait. Elle revêtit son déguisement d'étudiante en médecine avec le même enchantement qu'une comédienne enfile pour la première fois son costume de scène. La blouse lui allait à ravir. Pendant une heure, je la fis passer aux yeux des infirmières pour une stagiaire venue de Rouen – nul doute qu'aucune ne fût dupe de la supercherie. Dans un box, je m'appliquais à recoudre un type qui s'était ouvert l'arcade sourcilière au cours d'une rixe et dont le front pissait le sang. Pendant que je suturais les bords de la plaie, Sonia m'observait, dans un long silence de recueillement, avec un regard que je ne lui avais jamais vu jusqu'alors. À 4 heures du matin, ayant terminé mon service, je la raccompagnai chez elle. Nous connûmes notre plus ardente étreinte, debout, dans la cage d'escalier, sans nous soucier d'être surpris.

Mes parents commençaient à considérer d'un mauvais œil cette relation qui laissait leur progéniture épuisée et sans volonté, de larges cernes autour des yeux, mutique et l'air absent lors des repas de famille.

« Je ne te vois plus beaucoup travailler ton internat ni même seulement écrire ton roman, remarqua un soir mon père, en cherchant à me prendre par les sentiments.

— Je manque d'inspiration en ce moment.

— Je présume que ça n'est pas trop grave.

— Il paraît que ce sont des choses qui vont et qui viennent.

— Je l'espère vivement, ta mère l'espère aussi. Tu pars toujours pour Paris vendredi passer tes examens ?

— Pourquoi voudrais-tu que je n'aille pas à Paris ?

— Je ne sais pas... Je ne suis pas sûr qu'en ce moment tu fasses les meilleurs choix... Quoi qu'il en soit, hier j'ai vu mon ami, le docteur Tolila, il m'a dit que sa fille, dont je t'ai souvent parlé, qui suit des études de droit, et que tu as déjà croisée, partait aussi pour Paris demain soir. Peut-être serez-vous dans le même avion ?

— Papa, je t'ai répété cent fois que je ne veux absolument pas revoir cette Élodie Tolila. Et elle-même n'a sans doute aucune envie de me rencontrer.

— Eh bien, vous avez tort tous les deux ! Moi, je l'ai vue, cette Élodie, et elle est splendide.

— Oui, elle est splendide mais surtout... elle est juive, n'est-ce pas ?

— Et qu'est-ce que tu as contre les juives ?

— Absolument rien !

— Je suis heureux d'apprendre que nous ne logeons pas un antisémite à la maison... Mais laisse-moi te dire aussi que tu as tort de ne pas accorder une petite chance au destin !

— D'abord, je ne vois pas en quoi Élodie Tolila serait une chance, et deuxièmement, je ne crois pas au destin.

— Il me semble qu'en ce moment tu ne crois plus en grand-chose, fiston... »

J'allais déclarer que je croyais *en l'amour*, mais je me retins prudemment d'ajouter quoi que ce soit.

Le vendredi venu, mon père m'accompagna à l'aéroport de Nice comme il en avait l'habitude à chacun de mes départs pour la capitale. Ce trajet en voiture lui donnait l'occasion de dresser la liste des règles qui avaient régi son existence et de dessiner les grandes lignes de ce qu'il attendait de la mienne. L'enseignant à la retraite délivrait à l'étudiant attardé une leçon mêlant cours de morale et d'éducation civique, enseignement religieux et instruction générale. Il énonçait les grands principes de la Loi, fût-elle séculière et toute personnelle, auprès de son disciple le plus studieux, le plus assidu, le moins retors, toujours au premier rang, qui levait le doigt avant d'intervenir, collectionnait les bons points, cumulait les meilleures appréciations, ne comptait aucune absence injustifiée, s'était toujours montré d'une conduite irréprochable, semblait postuler sans fin à la remise du tableau d'honneur par son professeur principal.

Ces longs discours en forme de bilan d'une vie pesaient sur ma conscience parce qu'ils étaient proférés avec la solennité des adieux et d'une voix donnant l'impression que mon père délivrait là son testament. Comme les paroles résonnaient d'échos de l'Ancien Testament, recyclés à la sauce profane, et sans doute aussi parce que nous longions la Promenade des Anglais, j'avais parfois cette vision, une fois la harangue terminée, des flots de la grande bleue s'ouvrant pour engloutir ce prophète émérite et son fils spirituel – fin que mon père n'aurait sans doute pas reniée.

J'interprétais sa crainte de manquer à son devoir comme l'ultime réplique du séisme qu'avait été la mort de son père. Dans son lit d'enfant, rassuré par le timbre de la pièce au matin, il n'avait pas prononcé un dernier au revoir, sollicité une dernière embrassade. Il s'époumonait dorénavant à rattraper le bref instant de crédit qu'il avait indûment accordé à l'existence.

« Laurent, maintenant que tu approches de la fin de tes études, affirme-t-il en conduisant, quelle que soit ta vocation première que j'ai toujours soutenue et encouragée, il faut que tu termines.

— Il n'a jamais été question du contraire, papa.

— Tu dois exceller en médecine ; plus tard, tu excelleras en littérature. Tu permets que je te donne une idée ?

— D'habitude, tu ne me demandes pas l'autorisation.

— Tu pourrais découvrir le médicament qui guérit des effets du tabac.

— Des effets du tabac ?

— Oui, une pilule qui lave les parois des artères de ce que la nicotine y dépose. D'autres ont eu le Nobel pour moins que ça.

— Je n'ai pas encore passé le concours de l'internat, papa.

— Tu vas le réussir, et facilement. Après quoi, quand tu auras accompli ta mission et pourquoi pas découvert ce médicament miracle, tu écriras tes romans. Chez nous, le devoir passe avant, tu sais.

— Je sais… »

Il pose sur moi son regard malicieux, expire une ample bouffée de sa Gitane coupable des mêmes nausées que dans l'enfance, mais dont je crains sur l'instant qu'elle ait encrassé ses bronches et que ses poumons ne soient hors de portée thérapeutique à l'heure où je serai en mesure de participer aux progrès de la science.

« J'ajouterai, si tu le permets, que la réussite d'un homme ne passe pas par le succès professionnel. C'est d'abord par le fait de fonder une famille, d'être un mari honnête et un bon père. C'est la tâche de toute une vie. Je sais que tu t'y astreindras, tu es un bon fils, un fils obéissant… Une dernière chose avant que l'on arrive, Laurent, sur un tout autre sujet… Chez nous, on ne divorce pas.

— Je n'ai jamais songé à me marier, papa…

— Je préfère prendre les devants, fiston. On ne divorce pas parce qu'on ne trahit pas les idéaux de sa jeunesse. Je vais te parler d'homme à homme. Ta mère est la plus belle promesse qu'il m'ait été donné de recevoir. Je lui ai toujours été fidèle. C'est cette fidélité qui nous a permis de traverser les vicissitudes de la vie. Ne pense pas que cela fut facile, ton père est un bel homme, vois-tu, et sensible au charme féminin. Et je vois bien que cela t'agace quand je flirte avec une femme, même si c'est toujours sans enjeu, comme un petit plaisir que je m'octroie. Sache que la plupart des hommes de mon entourage ont rêvé ou rêvent de tromper leur femme, c'est l'obsession générale, comment coucher avec sa secrétaire ou sa collègue de bureau. Eh bien moi, j'ai toujours rêvé de ne pas tromper ta mère. Je crois que c'est un de mes seuls rêves que j'aurai jamais réalisé… On ne cède pas à ses pulsions, Laurent. C'est ce qui nous différencie des animaux. On ne prend pas son plaisir au hasard. Quoi que cela puisse lui en coûter, un homme ne s'appartient pas. Te l'ai-je déjà dit ?

— Il me semble, papa…

— Eh bien je te le répète. Un homme appartient à son passé et à ceux dont il doit bâtir l'avenir. Là-haut il y a le Grand Architecte, et, en bas, nous, ses créatures. Lui aura créé le monde en six jours et nous, nous opérons à sa suite. Nous construisons des ponts entre les générations. Les hommes s'égarent à vouloir ériger des cathédrales ou à édifier des empires, alors qu'un pont suffit à son bonheur, même un pont bancal, en bambou ou en bois, du moment qu'il a pour socle principal la fidélité. C'est le grand secret de la vie, Laurent, les hommes l'oublient trop souvent. Essaie de ne pas oublier... Pour finir, puisqu'on est presque arrivés, le docteur Tolila, le père d'Élodie, m'a confirmé que sa fille prenait son vol en cette fin d'après-midi. Ce serait drôle si nous la croisions à l'aéroport, n'est-ce pas ?

— Non, ça ne serait pas drôle, papa.

— Depuis quelques semaines, Laurent, on dirait que tu as perdu notre humour juif.

— Je savais qu'on pouvait perdre son honneur, mais j'ignorais pour l'humour juif.

— Tu as encore des choses à apprendre, Laurent. »

Une fois la voiture garée au parking, il vint avec moi jusqu'à la porte d'embarquement comme il procédait chaque fois et comme si, à vingt-quatre ans, je devais être déposé du côté des enfants non accompagnés. Il agissait ainsi pour le seul plaisir de prononcer, à l'heure du départ, la bénédiction censée prévenir du malheur, délivrer force et courage. Comme le voulait la tradition, il me prenait entre ses bras, posait la main sur ma tête et, tout en me serrant contre son épaule, psalmodiait à mon oreille les quelques phrases en hébreu implorant la protection divine sur ma personne. Cette étreinte qui se tenait au milieu d'une foule de voyageurs s'éternisait à tel point que je soupçonnais mon père d'avoir ajouté à la prière usuelle quelques mots de sa main, exhortations personnalisées appelant le Seigneur à réaliser ses propres vœux. « Éternel, Roi de l'univers, fais que mon fils s'accomplisse en tant qu'Homme, en tant que Juif, en tant que Médecin. Accomplis ses rêves d'écrivain et si possible de mon vivant. Fais de lui un aussi bon père qu'il aura été un bon fils. Que ta grande mansuétude lui concède également quelques moments d'insouciance, ce petit est un grand anxieux, j'ignore d'où cela peut bien provenir… » La scène se prolongeait tant que je redoutais qu'un camarade ne la surprenne et ne la porte à la connaissance du plus grand nombre en me couvrant de honte pour le restant de mes jours. Et peut-être qu'un voyageur s'est interrogé un soir sur le sens de ce curieux spectacle réunissant un jeune homme de un mètre quatre-vingts, tête baissée et un peu las, une main posée sur le haut de son crâne, et un type de un mètre soixante-dix, les paupières closes, l'air solennel, comme habité, qui lui murmurait quelque chose à l'oreille avant de l'embrasser aussi ému que s'il n'allait plus jamais le revoir.

J'ai souvent été surpris, à l'instant d'embarquer dans l'avion, de ne pas trouver dans la poche de ma veste une pièce que mon père y aurait glissée à la dérobée pendant notre au revoir.

Je cherchais au mauvais endroit. Mon père était un écrivain à sa manière. Il opérait par transmission de pensées.

Ce jour-là, tandis que nous approchions du guichet d'enregistrement d'Air France, il désigna de l'index un agent derrière son comptoir en se réjouissant de le connaître.

« C'est un de mes anciens étudiants à la faculté ! » s'écria-t-il en arborant un sourire aussi large que si le type allait me faire bénéficier d'un surclassement.

L'homme d'une trentaine d'années, l'air bonhomme dans son uniforme un peu large pour ses épaules, reconnut aussitôt mon père, ne manqua pas de tresser ses louanges, expliquant que c'était le meilleur professeur qu'il ait jamais eu, un enseignant humain, exigeant, parfois sévère mais toujours à l'écoute. Après quoi il m'interrogea pour savoir si je préférais un siège côté couloir ou hublot.

« Jacques, pourrais-je vous demander un service ? intervint mon père.

— Tout ce que vous désirez, monsieur Seksik.

— Eh bien, pourriez-vous nous dire si mademoiselle Élodie Tolila est également sur le vol.

— Elle est de la famille ?

— C'est la future fiancée de mon fils, allégua mon père avec un clin d'œil complice à l'intéressé.

— Normalement, il m'est interdit de donner ce genre de renseignements.

— Jacques, il s'agit d'une affaire sérieuse ! se récria mon père, d'une voix déterminée.

— Alors, c'est différent, répondit l'employé, avec une mine de petit garçon.

— Merci beaucoup, Jacques, vous avez toujours été le plus méritant des élèves », félicita mon père tandis que l'homme étudiait la liste des passagers avec le même sérieux appliqué que s'il repassait un examen devant son professeur.

Je priai le ciel qu'il ne découvrît pas le nom de la jeune femme, quand il finit par s'exclamer avec une semblable jubilation que s'il saluait là les retrouvailles avec sa propre fiancée : « Oui, monsieur Seksik, elle y est ! » Après quoi, dépassant toutes les limites de ses prérogatives, il proposa avec entrain : « Voulez-vous que je les place côte à côte ? » Tandis que je m'étranglais de colère, mon père lâcha d'un air détaché : « Je ne voudrais pas vous ôter ce plaisir... », avant que l'employé ne tempère son enthousiasme en annonçant d'un air déçu : « Non, c'est impossible, elle s'est déjà enregistrée... » J'écourtai la conversation en remerciant et entraînai mon père vers le sas d'embarquement.

Au portique, je reçus la bénédiction promise, puis prononçai un au revoir un peu plus froid qu'à l'ordinaire avant de franchir le portique avec un soulagement ravi. J'avançai dans la galerie en direction de la zone d'embarquement, contemplant les vitrines, quittant soudain l'enveloppe d'un enfant de huit ans pour redevenir un homme de vingt-quatre, revenant dans le monde réel, un monde adulte, dont je pouvais enfin goûter la sobre tranquillité et affronter les vrais enjeux.

C'est alors qu'advint la catastrophe.

Un acte qui dépassait tout ce dont je pensais mon père capable pour me ramener sur le droit chemin de la tradition familiale. Sur l'instant, je me sentis ulcéré à un point que, jusqu'à aujourd'hui, même si j'en souris et considère ce geste comme le plus haut fait de l'amour paternel, je peux encore ressentir le frisson qui me parcourut à l'époque.

Tandis que, l'esprit libre et léger, je marchais dans le grand hall fébrile de l'animation impatiente des départs imminents résonna cette annonce par la voix de l'employé du guichet d'Air France :

« Mademoiselle Élodie Tolila est attendue à l'embarquement par le docteur Seksik au hall numéro 2. Je répète, mademoiselle Élodie Tolila est attendue par le docteur Seksik. »

J'eus l'impression que mon cœur s'arrêtait de battre. Je demeurai immobile, pétrifié, muet de stupéfaction incrédule. Comment pouvait-il m'avoir fait cela ?

Soudain, du hall d'embarquement où la plupart des passagers s'étaient déjà engouffrés, je vis accourir une jeune femme effarée, semblant aussi terrorisée que je l'étais, mais ne parvenant sans doute pas à mettre un nom sur sa colère et qui, croisant mon visage et me reconnaissant, me lança un regard d'incompréhension irritée.

Je me dirigeai vers elle avec le pas du condamné à mort.

« Mais qu'est-ce qui se passe ? s'exclama-t-elle quand je fus à sa hauteur.

— C'est mon père, bredouillai-je.

— Quoi, ton père ?

— Il ne faut pas lui en vouloir.

— Je ne comprends rien à ce que tu dis ! Tu m'as l'air aussi dingue que ton père ! » s'emporta-t-elle, tournant les talons vers la carlingue.

J'attendis quelques instants avant de lui emboîter le pas.

Je continue de fréquenter régulièrement l'aéroport de Nice pour des trajets qui sont comme des voyages vers le passé. Voilà quelques mois, j'ai recroisé au guichet d'Air France l'employé en question. Trente ans avaient passé depuis cet épisode et laissé l'empreinte de l'âge sur son visage comme sur le mien. L'homme semblait proche de la retraite. Il avait l'air toujours aussi bonhomme, souriant et affable. J'aurais aimé le remercier pour l'instant qu'il m'avait fait vivre, si douloureux à l'époque mais que le temps a rendu mémorable, et lui apprendre que ce vieux professeur, qu'il semblait avoir tant apprécié, avait disparu récemment.

Aucun mot n'est sorti de ma bouche.

Le livre de mon père

Ce troisième jour d'hospitalisation au dernier étage de l'hôpital pédiatrique de Lenval, j'attendis mon père avec plus d'impatience encore que les jours précédents, brûlant de savoir comment mon grand-oncle Victor avait fait la connaissance de mon grand-père.

Mon père reprit le fil de son récit là où il l'avait abandonné la veille, au moment où, dans la tranchée, Victor se découvrit un nouveau voisin, un homme courtois et accommodant, prénommé Albert, qui n'en remontrait pas et venait comme lui d'Algérie.

« Seksik ? fit Victor apprenant le patronyme du type, un soldat plus aguerri que lui, qui avait fait la guerre du Rif et reçu la médaille militaire au Maroc, en citation de sa bravoure au feu. Quel drôle de nom ! »

Ils éclatèrent d'un même rire qu'un coup de sifflet strident interrompit. Le signal avait été donné. Une nouvelle attaque était lancée. Ils en revinrent sains et saufs, unis pour la vie d'une amitié sans égale née sur un champ de bataille.

— Comme ton histoire est belle, papa !

Les après-midi interminables d'attente dans les tranchées, les deux nouveaux amis refaisaient le monde au milieu des bruits d'obus, de canons, de mitraille. La terre se mettait à trembler, le ciel s'embrasait. Ils continuaient à deviser.

— Mais... pourquoi faisaient-ils la guerre, finalement ?

— Eux-mêmes n'en savaient rien. En face, ils n'en savaient pas davantage. Personne ne comprenait la raison d'une telle boucherie. On leur répétait que c'était pour l'honneur de la patrie.

— En cours d'histoire, on m'a expliqué que le nationalisme, c'est la guerre, mais que le patriotisme vaut bien mieux.

— Je ne suis pas certain qu'ils saisissaient la nuance, Laurent. Ils étaient aussi là pour récupérer l'Alsace et la Lorraine. Mais quand on y parvint, il ne restait plus grand monde parmi eux pour visiter la région.

— La Seconde Guerre mondiale, papa, c'était aussi à cause de la nation ?

— Non, la Seconde, c'était au nom de la race. Il en allait de l'honneur de l'humanité qui a peu à voir avec le sentiment national.

— Mais comment en était-on arrivé à s'étriper comme ça ?

— *L'archiduc François-Ferdinand avait été assassiné à Sarajevo par un groupe de nationalistes serbes. Son oncle, l'empereur austro-hongrois, y a vu une perte irréparable pour l'humanité tout entière et a trouvé ce prétexte pour déclarer la guerre à la Serbie qui, depuis des lustres, refusait son annexion en exerçant là une atteinte insupportable à l'intégrité de son territoire, même si l'empereur n'avait jamais foutu les pieds à Sarajevo puisque le soleil ne se couchait jamais sur son empire et que ces gens-là n'ont pas que ça à faire. Tout ce beau monde a sonné la mobilisation générale depuis les salons des châteaux où ils vivaient en paix afin que la morale soit sauve. C'était compter sans les Russes, qui ont toujours envie d'en découdre et décidèrent de venir au secours des Serbes par affinité naturelle puisque les uns et les autres sont de la même obédience orthodoxe et qu'il est plus commode de mourir fraternellement en priant le même Seigneur qu'avec un type qui croit prier le bon Dieu alors qu'il implore le mauvais. Le Kaiser Guillaume a très mal pris la chose, parce que les Allemands sont très à cheval sur les principes, et jamais à un million de morts près. Le Kaiser a donc déclaré la guerre aux Russes même si le tsar était aussi son cousin, parce que chez ces gens-là, Laurent, l'esprit de famille se résume à jouer aux petits soldats à l'heure du thé mais avec de vraies gens et à balles réelles. Comme les Français ont le sens de l'honneur, on ne nous enlèvera pas ça, et qu'on ne laisse pas attaquer un Russe sans réagir vu qu'on aurait des accointances depuis toujours même si je n'ai jamais rien ressenti de particulier, la France a déclaré la guerre aux Boches... Et voilà pourquoi, fiston, j'ai perdu mon père à sept ans et la Nation a fait de moi son pupille, sans que je lui aie rien demandé.*

— Mon pauvre papa... Que faisaient ton père et Victor en attendant les combats ?

— Cela réchauffait le cœur de Victor d'entendre Albert évoquer sa fiancée, une jeune fille prénommée Rivka, qui devait devenir ma mère. Mon père l'avait croisée un dimanche, sortant d'une échoppe de la rue Marengo, un panier de fruits et de légumes sous le bras, vêtue d'une jupe à fleurs et d'un chemisier à dentelles. Au premier regard, il avait su qu'elle serait sa femme, parce que sans jamais avoir lu Flaubert mon père était un grand romantique. Ce dimanche-là, dans la rue, Albert avait fixé Rivka avec insistance dans l'idée d'attirer l'attention de la jeune fille par la seule force de son regard, je t'ai dit que c'était un grand romantique, un homme bon, cherchant une explication à toute chose, croyant en Dieu, ayant la foi et vivant dans l'espoir d'un monde meilleur. Lorsque Rivka tourna la tête dans sa direction, Albert crut que son cœur allait s'arrêter de battre, ses mains se mirent à trembler, il avait découvert l'amour en revenant d'acheter le pain. Il entrouvrit les lèvres pour prononcer « bonjour ». La jeune fille ne répondit rien, respectueuse des injonctions maternelles de ne jamais

adresser la parole à un inconnu, même si celui-ci paraissait aimable, avait belle allure, portait le costume comme un notaire et le couvre-chef comme personne. L'histoire se serait arrêtée là si quelque chose sur le trottoir – une pierre, une flaque d'eau, va savoir ? – n'avait déséquilibré Rivka et fait tomber son panier. Albert retint la jeune femme par le bras pour lui éviter la chute puis ramassa un à un fruits et légumes sur le sol, en songeant, lui qui avait tendance à voir des signes du destin là où agissait le pur hasard des choses, que le ciel lui avait envoyé un message. La jeune femme s'enquit de la manière de le remercier. « Donnez-moi votre main », répondit Albert, sans la moindre malice, en tendant à Rivka une pomme qu'elle croqua à pleine bouche. Et lui qui était affecté d'une timidité maladive proposa un rendez-vous qu'elle accepta aussi naturellement que si le jeune homme lui avait demandé l'heure.

— Que se passa-t-il ensuite ?

— Ils se retrouvèrent chaque dimanche après le déjeuner, devant la Grande Poste au centre d'Alger, leur rencontre se déroulant selon un scénario immuable, qui les voyait d'abord se saluer les yeux rivés au sol, aucun n'osant affronter le regard de l'autre, puis ils s'effleuraient la main croyant se la serrer, retournés par ce seul contact. Ils remontaient l'avenue d'un pas aussi pressé que si l'un et l'autre avaient quelque chose d'urgent à faire, alors que l'après-midi et la soirée, le reste des jours de la

semaine ne seraient consacrés pour chacun qu'à se remémorer leurs retrouvailles. Ils avançaient distants d'au moins un mètre, convaincus que s'ils se rapprochaient davantage les badauds se retourneraient sur leur passage, les moqueraient, outrés de tant d'audace, deux jeunes gens pas même mariés qui osaient s'afficher ensemble en 1914. Ils parvenaient au bout de l'avenue, sans avoir échangé un mot, se séparaient en murmurant « à dimanche prochain », repartaient heureux, convaincus de s'être totalement livrés sans avoir prononcé une parole, ravis d'avoir promené au grand jour la nature de leurs sentiments. Deux mois plus tard, quand l'ordre de mobilisation tomba, Albert ne s'était toujours pas déclaré.

— Et de qui Victor était-il amoureux ?

— Obsédé par la Jacobine, Victor avait l'esprit trop occupé pour pouvoir tomber amoureux. Il se promettait, s'il réchappait à cette foutue guerre, d'aller à Atlanta rendre justice à son père. Albert avait beau lui certifier que la justice n'est rendue qu'aux vivants, que c'est l'absolution qui est donnée aux morts, que son combat était encore plus vain que celui de tuer tous les Boches, Victor n'en démordait pas. Et alors qu'Albert s'imaginait passant la bague au doigt de Rivka sous le dais, brisant le verre devant une assistance en liesse, Victor se voyait dans les rues d'Atlanta, face au building à l'enseigne de Coca-Cola, frapper à la porte du président de la firme, sommité qu'il imaginait assise à son bureau sous les portraits d'illustres

l'ayant précédé, un chapeau de cow-boy sur la tête et des bottes aux pieds, l'accueillant en lui envoyant au visage la fumée d'un gros cigare. Le boss demandait combien il exigeait pour son secret de fabrication. Et comme l'honneur d'un homme ne se monnaye pas, Victor réclamait simplement que l'on baptise la nouvelle boisson la Jacobine. Un éclat d'obus tombait quelques mètres devant eux dans un grand fracas de terre qui ramenait les deux amis à leur triste réalité de poilus. Imagine-les maintenant, tous les deux, Albert et Victor, le cœur battant, l'esprit fiévreux, ils attendent le début de la grande offensive, dont on leur a promis qu'elle serait la dernière, balaierait toute résistance ennemie, mettrait à terre en un seul combat tout l'Empire germanique. La nuit précédente, chacun a fait la liste des camarades tombés au front comme, au temps de la paix, dans son lit, sous la chaleur des couvertures, on compte les moutons pour dormir. Ils attendent, dans la saleté où pullule la vermine, au milieu d'une immensité de souffrances où plus rien n'a de tendresse, de couleurs, de joie. À l'aube, debout, coude à coude, leur barda sur le dos, leurs jambes flageolantes, des crampes au ventre, transis, terrifiés, ils s'impatientent d'entendre l'ordre d'attaquer, convaincus que la mort glace moins que la peur. Ils tiennent, l'un songeant à l'amour et l'autre à sa revanche.

— J'aime quand tu racontes, papa.

— L'ordre est donné. Les voilà tous les deux, leur crainte de mourir métamorphosée en rage de survivre,

mon père et ton grand-oncle gravissent les barreaux de l'échelle, mon père tout en grimpant déclame une prière, Dieu d'Israël, Dieu d'Abraham, d'Isaac et de Jacob, veille sur nous, rends-nous forts, détourne les balles qui nous visent, dévie les feux de la mitraille et les éclats d'obus du chemin de nos vies, Amen, répond Victor dans son dos. Ils s'élancent à l'air libre, ils voient enfin le ciel, ô comme ils sont vaillants, dans la boue, baïonnette au canon, la foi qui les anime plus forte que leur effroi, ils cavalent, leurs pieds s'enfonçant dans la terre, manquant à chaque enjambée de glisser dans une crevasse, dans leur tête ils volent vers la victoire. Autour d'eux, une clameur s'est élevée, arrachée aux tripes, venue du fond des temps, les soldats hurlent, se donnent du courage, ils ont vaincu leur terreur de l'ennemi. Tuer, prendre une balle, rien ne les effraie plus. Un crépitement impose un soudain silence, la mitraille allemande les canarde, les hommes sont fauchés par grappes. Albert et Victor continuent d'avancer. Ils sont braves, ils espèrent. Rien ne peut les atteindre. Ils montent vers l'ennemi, Victor quelques mètres derrière Albert, ils semblent invulnérables dans le déluge de feu qui emporte les hommes comme des fétus de paille, sur la terre noircie de sang, au milieu de ce continent sombre et désolé, ces bataillons d'hommes envoyés à leur perte. Ils lancent leurs grenades sur la ligne adverse, la retraite est sonnée, l'ordre de rentrer a été donné plus vite qu'on pouvait l'espérer. Ils font demi-tour, portés par une ivresse jamais égalée, l'un songeant à Rivka, l'autre à la Jacobine, ils sont à quelques dizaines de mètres de leur tranchée maintenant, Victor devance Albert cette fois. Ils courent vers la vie sauve, le pire des gouges est soudain le plus accueillant paradis. Victor saute dans la tranchée, tombe tout au fond de la terre, se redresse, se retourne et, voyant Albert encore à trente mètres, agite les bras, d'autres soldats à l'unisson encouragent mon père, ils hurlent à pleins poumons : « Plus vite, tu y es ! » Albert court sans plus songer à rien, plus rapidement qu'il n'a jamais couru, il court après sa vie, ses jours devant lui, ses jambes le transportent vers son avenir tout proche. Il songe à Rivka, son sourire, ses tendresses, il se sent l'homme le plus rapide du monde. Il distingue devant lui le visage de Victor, celui des autres camarades. « Vite, vite ! » hurlent les soldats. Quand soudain les figures se crispent, des regards horrifiés se posent sur lui. Une brume étrange vient recouvrir la terre, un brouillard plus dense et plus épais qu'un nuage de pluie, jaune, gris et rose à la fois, d'une odeur terrible, tombe sur mon père. « Les gaz ! Les gaz ! » s'écrient les soldats cessant de respirer, s'enfonçant dans le sol, courant dans les tranchées, prenant tout ce dont ils disposent pour se couvrir le visage. Mon père s'est effondré, asphyxié. Victor, un chiffon sur le nez, s'élance pour lui venir en aide, le porte sur son dos sur des mètres et des mètres, jusqu'au bout des tranchées, loin, là où le gaz ne sévit pas, où mon père reprend connaissance de longues heures plus tard, ses yeux y voient à peine, le feu a consumé ses poumons, mais le médecin qui l'examinera lui assurera qu'il a eu de la chance d'avoir survécu au bombardement d'ypérite, lui promettra le retour chez lui après un long séjour à l'hôpital. « Et profites-en, mon vieux, mieux vaut finir aveugle et poitrinaire que mort ! »

— Elle est terrible, ton histoire, papa !

— C'est l'histoire de mon père… Mais à toute chose malheur est bon, et lorsqu'elle revit mon père, de longs mois plus tard, celle qui allait devenir ma mère trouva qu'il n'avait pas changé, alors qu'il avait pris trente ans et avait presque perdu la vue. Ses cheveux étaient blancs, son visage émacié, il avait la peau sur les os, mais pour leurs retrouvailles il portait le costume et le chapeau avec la même élégance qu'à leur première rencontre, si ce n'est que pour lacer ses bottes il avait eu besoin d'assistance. Quelque temps après l'armistice, ils firent un grand mariage où l'on but et l'on dansa jusqu'au petit matin.

À cet instant, une infirmière ouvrit la porte de ma chambre. Elle venait prendre ma tension. Mon père interrompit le récit de la cérémonie de mariage, prit l'infirmière par le coude, tout en fredonnant la Marche nuptiale, *fit avec elle le tour de la pièce. Je me cachai sous les couvertures, rouge de honte, mais quand je relevai la tête, je la vis afficher un air ravi. Il était en train de lui expliquer qu'il racontait à son fils le mariage de son père.*

— Voulez-vous entendre la suite ? demanda-t-il.
— Cinq minutes, pas plus, fit-elle, l'air enjoué.
Elle demeura un bon quart d'heure.

Victor était le témoin d'Albert. Il s'était rendu à la cérémonie avec l'idée de repartir aussitôt après pour Le Havre, d'où il embarquerait pour l'Amérique. Mais durant la cérémonie, il croisa le regard de Rachel, la sœur de Rivka, un regard vif et doux qui était de famille et le fit tomber sous son charme. Six mois plus tard, les deux amis étaient beaux-frères, occupaient des appartements voisins. Victor avait remisé ses rêves d'aventurier.

— L'histoire est terminée ?
— Une belle histoire, Laurent, finit toujours bien... Comme tu le sais, six enfants survécurent aux innombrables grossesses que ma mère, Rivka, mena jusqu'à terme, quatre filles, tes tantes, Odette, Germaine, Yvonne, Rosette, et deux garçons, Roger et moi, le benjamin de la famille. Chaque matin, sur le coup de 6 heures, avant de se rendre à son atelier de cordonnier, mon père avait coutume de laisser tomber une pièce de cinq sous dans une soucoupe posée au chevet de mon lit. Le tintement que produisait la pièce en tombant sur la céramique annonçait la journée d'une façon radieuse et mettait mon père en joie. En dépit de sa santé défaillante et qui allait en déclinant, ses poumons crachant parfois des filets de sang,

ses yeux n'y voyant plus grand-chose, le léger carillon lui rappelait que la vie lui avait souri, il aimait, il était aimé, il n'aurait eu à rougir de rien dans l'existence, hormis de ne pas courir suffisamment vite à l'heure où il convenait de le faire.

— Et ton oncle Victor ?

— Victor et Rachel n'eurent pas d'enfants. Quand Victor ne blâmait que le sort, Rachel imaginait que c'était sa faute, s'en faisait le reproche à toute heure du jour. Elle disait que son ventre était comme un désert, elle comparait sa vie à un cratère de lune. Elle sombra dans la mélancolie, demeurait des heures entières immobile, silencieuse, postée sur son balcon, le regard rivé sur ses neveux et nièces en train de jouer dans la cour, songeant à ce qu'aurait été sa vie si un seul de ces gamins avait été le sien, s'adressait à l'enfant imaginaire en pensées, lui demandait de se couvrir par grand froid, s'emportait s'il était sorti sans avoir mangé. Elle vivait dans ses rêves, triste et privée d'espoir.

Victor aidait Albert à l'atelier de cordonnerie, il était ses yeux, ses doigts, son confident, le réconfort à son martyre. Victor avait renoncé à ses chimères. Au regard des horreurs de la guerre, l'histoire de la Jacobine, boisson gazeuse et miraculeuse, et son parfum de revanche, avait le goût des contes pour enfants. Victor s'efforçait de consoler le chagrin de sa femme, la douleur de son meilleur ami. Il vivait pour les autres. Cela suffisait à combler ses jours à défaut d'entretenir ses rêves.

Mon père interrompit son récit, il me fixa d'un regard triste, comme s'il lui était impossible d'en dire plus ce jour-là. Je compris que le chapitre suivant de l'histoire annonçait la mort de son père. Je lui pris la main, lui demandai de ne pas continuer. J'en savais assez pour aujourd'hui.

Le temps des adieux

Tous les services de réanimation se ressemblent, les secondes n'y défilent pas, les saisons n'y passent pas, le jour et la nuit diffusent la même clarté aveugle et froide où flottent regards fiévreux et gémissements de douleur. A-t-on préfiguré l'enfer, prophétisé l'éternité ?

Ma mère se tient devant la porte automatique, sans rien laisser paraître de sa peur, droite et digne, tandis qu'à peine débarqué de l'aéroport, tirant ma valise à roulettes, j'avance vers elle avec le visage de l'angoisse.

— Il va mieux ce matin, dit-elle, il a ouvert les yeux. Mais prépare-toi quand même à un choc en le voyant, avec ce tuyau dans la bouche et toutes ces perfusions. Les médecins disent que c'est pour passer un cap. Il comprend tout ce qu'on lui dit, il répond parfaitement…

Je suis familier de ces lieux, les internes y vivent leurs plus mémorables expériences, voient s'y dérouler les heures les plus intenses de toute une existence. Pourtant, en ce matin d'avril, je m'y sens comme un étranger débarqué sur un continent inconnu. Après que j'ai enfilé blouse, gants et masque, un infirmier m'indique d'un geste de l'index le box, au fond à gauche, près de la fenêtre. J'avance d'un pas lent et timoré vers le lieu où tu es alité.

Ton teint est blafard, ton visage émacié, tes paupières demi-closes, ta respiration rythmée par l'ahanement du respirateur artificiel, mais le glorieux aveuglement des fils te montre tel que je t'ai quitté, à peine un peu plus fatigué. Sain et sauf.

Tu écarquilles grand les yeux dans un effort qui paraît surhumain et qui n'ouvre qu'à moitié tes paupières.

Je couvre ton front et tes joues de baisers.

— On va te sortir de là.

Tu as un hochement de tête approbateur. Confiant. Tu m'as toujours fait confiance.

Une alarme dont je tente vainement de saisir l'origine ne cesse de sonner sans que l'infirmier à quelques mètres s'en inquiète. Les constantes affichées sur l'écran au-dessus du lit montrent des chiffres effarants, la tension au plus bas, le pouls vers des sommets, et la fièvre à 40.

Ma sœur s'approche, saisit ma main, « Ça va aller », murmure-t-elle, « Ça va aller, je réponds en écho, machinalement, je vais parler aux médecins », j'ajoute, comme si le sort de mon père était entre nos mains.

Nous voilà, côte à côte, en face de toi, comme dans l'enfance, attendant un cadeau d'un retour de voyage. Depuis le lit, tu nous contemples, l'air soudain apaisé, enchanté, presque heureux, je crois t'entendre dire quelque chose, c'est l'heure des soins, intervient l'infirmier, il va falloir sortir.

Le professeur adjoint, qui, tard dans l'après-midi, me reçoit, m'offre un accueil chaleureux, donne du « cher confrère », propose un café, un café turc, froid, horrible que je bois sans grimacer jusqu'à la dernière gorgée ne laissant au fond du verre qu'une mélasse noire. L'homme, d'un ton nostalgique, commence par évoquer, complice, l'année qu'il a passée à Paris vingt ans auparavant, lors d'un stage à l'hôpital Saint-Antoine, il raconte les terrasses, les monuments, la cuisine, fait allusion à la légendaire courtoisie française, affirme avoir connu là des heures fameuses, puis, d'un ton toujours aussi léger, me demande, les doigts posés sur son clavier, d'épeler le nom de mon père.

Il découvre sur l'écran les chiffres du bilan, les traits de son visage se figent, perdent soudain toute lueur de gaieté pour revêtir un masque de gravité qui me glace. Comme pour se rattraper d'avoir ainsi laissé percer ses émotions, il murmure pour lui-même cette phrase qui m'est destinée : « Ça n'est pas si catastrophique… » Après quoi il se lance d'une voix monocorde dans un discours où chaque mot semble peser.

— Le problème, c'est l'infection pulmonaire bien sûr. Elle nous contraint à l'intubation, qui elle-même présente ses propres risques, je ne vous apprends rien… Et puis, la résistance aux antibiotiques de troisième génération aussi, ça n'est pas bon… Il y a les reins bien entendu qui ne fonctionnent plus et les dangers de septicémie surajoutée liée à la dialyse. Mais tant que son cœur tient…

— … C'est qu'il reste un espoir ? je lance, avec la candeur de celui qui n'aurait rien compris à ce que l'on s'évertue à lui expliquer.

— Il reste toujours un espoir, cher ami. Nous, médecins, nous savons bien que la nature fait parfois des miracles… Et ici, nous croyons au miracle, peut-être encore plus qu'ailleurs, n'est-ce pas ?

Sans doute soucieux d'abréger un instant trop pénible, il change subitement de sujet et, abandonnant toute réserve, me demande, l'air aussi cordial que si nous étions deux vieux amis, ce que j'ai prévu de faire pour les fêtes de Pessah[1] qui approchent. Je réponds sur le même ton enjoué et sans réfléchir que je passe comme toujours les fêtes

1. Pâque juive.

en famille. Il me souhaite le meilleur en me tendant une main franche que je serre résolument avant de quitter la pièce. Derrière la porte, je comprends que tu passeras les prochaines fêtes entre la vie et la mort.

Tu engages tes dernières forces contre une succession d'infections plus résistantes les unes que les autres, à chaque assaut desquelles les médecins te donnent perdu. À peine se sont-ils ouverts de leur intention d'arrêter de se battre et d'interrompre les traitements que tu sors vainqueur du combat. Tu forces l'admiration de tous.

Malgré les coups de semonce je reste incapable d'envisager une issue funeste à ton sort. Je demeure aveugle au nouveau décor de ta vie, à la ronde plus lasse de jour en jour des infirmiers à ton chevet. Sourd aux silences embarrassés, aux visages muets, aux sourires gênés, à l'amère stérilité de cette débauche d'énergie entre les murs de cette affreuse salle. Le souvenir des précédents naufrages dont tu t'es tiré me berce encore d'illusions.

La Pâque juive, qui commémore la libération d'un peuple en esclavage, a toujours été ta fête préférée. Pessah transcende un événement historique plusieurs fois millénaire, vision prémonitoire des tentatives d'anéantissement du peuple juif. Épisode de résurrection collective, Pessah peut aussi s'apparenter au Noël des chrétiens par son caractère familial et joyeux. On y chante, tout en dissertant, et si seul l'austère pain azyme est autorisé, on y festoie copieusement autour de la table. Ta lecture de la Haggadah[1] laissait libre cours à tes talents de conteur et à ton génie de la transmission.

Dans le passé, j'aurais traversé la terre entière pour la joie de célébrer cette fête à tes côtés. Mais cette nuit est différente des autres nuits, et ce soir où partout dans le monde les familles juives sont réunies, je suis seul avec toi dans la salle de réanimation, sous la lumière écrasante des néons, au milieu du bruit des machines. Tu es pleinement conscient, mais l'intubation t'empêche de répondre autrement qu'en clignant des yeux. La nuit a dû tomber au-dehors. C'est l'heure du Séder[2]. Je tire le livre de prières glissé dans un sac stérile. Je saisis ta main et commence à entonner ce long récit, là, au milieu des autres patients. Le personnel soignant me regarde d'un air un peu étonné. Je chante cette longue litanie en hébreu. Quelque chose illumine ton visage, ton regard brille comme il n'a pas brillé depuis des semaines, j'ai l'impression que tu m'encourages : « Prie, Laurent, chante ! disent tes yeux, c'est le plus beau des chants. » Je poursuis et

1. Récit de la sortie d'Égypte dans l'histoire des Hébreux.
2. Rituel accompagnant le récit de la sortie d'Égypte.

t'entends, du plus profond de ta gorge, fredonner avec moi cet air millénaire, que tu sembles aller chercher dans la nuit des temps. Tu as trouvé la force, toi qui n'as plus de force, pour reprendre ce chant d'espérance, comme un dernier appel au Ciel. L'infirmier s'est approché, incrédule, pour vérifier qu'il n'avait pas rêvé. Du fond de ton semi-coma, tu entonnes l'ancestrale prière qu'enfant tu fredonnais avec ton père, et ton père avec le père de ton père, jusqu'à des temps immémoriaux. Nous prions tous deux en ce lieu, un filet de voix s'échappe de tes lèvres, nous prions ensemble, encore, à nouveau, main dans la main, ce jour est le plus grand des jours, voilà l'histoire des pères et des fils, dans l'enceinte d'une salle de souffrance, racontant la tourmente des esclaves, les herbes amères du passé, dans ce sanctuaire où le sort fauche ceux qui passent, quelque chose s'élève, va à l'encontre du destin, je prie main dans la main avec mon père, qui aura connu cela à part nous, nous en aurons vécu des aventures, n'est-ce pas ? Une larme coule encore sur ta joue, toi dont on imaginait que tu n'en avais plus tant les piqûres, les traitements, les ponctions t'avaient tiré de pleurs, je poursuis ma lecture, une heure durant, commémorant avec toi ce jour de délivrance qui brise les chaînes des esclaves mais garde les liens des condamnés.

Les jours succèdent aux jours dans le service de réanimation, la vie passe en cadence, dans son rythme immuable qui semble avoir oublié le mouvement de la vie. Réveil, toilette, visite, examens, prises de sang, prélèvements, injections, séance de dialyse, tant d'énergie, d'activité, d'intelligence vouées à prolonger tes heures.

La Providence semble jouer à une loterie de minces espérances et d'amères défaites, de progrès misérables qui déclenchent la ferveur des grandes victoires et de reculs immenses qui nous éreintent.

Qu'attends-tu pour sortir de ton semi-coma, ôter les tubulures qui saccagent tes bras, revenir à la vie et retrouver les tiens ? On dirait que tu ne te lasses pas du grand charivari des blouses qui t'entourent. À moins que tes yeux fatigués ne perçoivent une évidence que les miens se refusent à voir. Que tes lèvres entrouvertes ne prononcent d'inaudibles murmures de protestation contre l'acharnement des médecins. Que ton souffle ne revendique un répit dans ce combat contre la maladie qui te rend coup pour coup, t'assomme, te blesse, te martyrise. C'est, cent ans après celle de ton père, ta Grande Guerre à toi. Tu voudrais qu'une trêve fût donnée dans ce combat farouche, cruel, et sanguinaire. Tu éprouves sans doute un grand besoin de calme.

La semaine précédant ton entrée en réanimation, je te veillais dans la chambre de l'autre côté du couloir. Tu te réveillas au beau milieu de la nuit à demi-conscient, levas la tête en direction de la fenêtre, et prononças le prénom de ta sœur disparue quelques années auparavant. « Odette, répétais-tu au milieu de la nuit, attends-moi ! » Je t'observais, en souriant, ravi de t'entendre parler de manière si déterminée, ne parvenant pas à saisir ce que tes paroles signifiaient de fatigue, de lassitude, de refus d'en découdre. Volonté de retrouver ton âme sœur au royaume des âmes.

Je viens de faire une découverte qui va te redonner les forces qui te manquent. Pourquoi ne pas y avoir songé auparavant ? Je pense avoir trouvé comment te tirer de la prison mentale. J'ai glissé mon téléphone dans un gant stérile après l'avoir, sur YouTube, réglé sur une vidéo où Montand chante *Les Feuilles mortes*. Dès que ton état l'autorise, je tiens le portable à ton oreille. Ton regard s'éclaire à peine tu entends les premiers accents de la chanson. *En ce temps-là où nous étions amis.* Ton visage resplendit. *Et le soleil plus brûlant qu'aujourd'hui.* Tu esquisses un sourire. *Ô je voudrais tant que tu te souviennes.* Tu reviens à la vie.

La première fois, ma trouvaille me procure une immense frayeur, parce qu'à l'instant où tu comprends ce qui t'est proposé, sous le coup de l'émotion, le rythme de tes battements cardiaques s'emballe, le scope émet son bruit de sirène. Mais bientôt tu retrouves un air rasséréné. Ton cœur bat à son rythme. Tout est rentré dans l'ordre. La chanson terminée, tu me dévisages avec une mine impatiente et inquiète qui fait place à un visage comblé aussitôt que je réenclenche la musique. Je te passe en boucle la chanson de Prévert. Son refrain est notre hymne. Une infirmière, curieuse du manège, s'approche puis se met à fredonner à ton attention la version russe des *Feuilles mortes*. Son air nous porte et nous transcende. Montand nous accompagne. Tu n'es plus sous respirateur artificiel. Tu as vingt ans à Alger, tu en as soixante à Nice. *C'est une chanson qui nous ressemble*. La musique monte du passé. C'est notre chant des partisans. « Joue, Laurent, joue-la swing ! »

Tu vois, je n'ai rien oublié.

J'ai dû retourner à Paris, appelé par le travail et la vie de famille. Ton état, assurent les médecins, est désormais stable. Les séances de dialyse produisent leur effet. Les antibiotiques de dernière génération ont agi. Les stigmates de ta dernière pneumopathie s'estompent. Ta respiration nécessite moins d'apport d'oxygène. On songe à te désintuber. Ton cœur a tenu. Tu as tenu. Jamais tu n'auras manqué à l'appel. Tes souffrances n'auront pas été vaines. Après deux mois à l'hôpital, ces heures d'incertitude et de doute, ton corps meurtri de part en part, tu vas sortir du purgatoire.

J'ai repris le train-train de la vie quotidienne, recherches sur Gary, écriture du roman. Matin et soir, ma sœur te fait entendre ma voix au téléphone. Je sais que tu écoutes. Je crois parfois distinguer ton souffle à l'autre bout du fil. Je pourrais continuer des heures à parler dans le vide avec ce seul soupir pour réponse. Les battements de ton cœur me donnent la réplique. Ce dialogue me comble.

Les jours passent, tu demeures.

Mais quelle est cette douleur au ventre qui, cet après-midi, inquiète ma sœur, alertée par l'interne qui t'a examiné ? À peine le chirurgien a-t-il glissé sa main sur ton ventre que le diagnostic est posé. C'est une péritonite qui, vu ton état, interdit toute possibilité d'intervention chirurgicale.

Il te reste un jour à vivre.

Nos retrouvailles

— Finalement, c'est passé vite, se réjouit ma voisine après que le commandant de bord a annoncé qu'il allait entamer la descente.

Elle sort de son sac un nécessaire de maquillage. Un miroir de poche au bout des doigts, elle applique du fard sur ses joues, du rouge sur ses lèvres. Elle range le tout, puis rassemble le reste de ses affaires.

— Je vais lire vos livres, promet-elle en détachant sa ceinture lorsque l'avion s'est immobilisé sur la piste.

Nous traversons l'un derrière l'autre, d'un même pas pressé, le couloir menant au contrôle des passeports avant de récupérer nos bagages, redevenus deux étrangers après ces heures de confidences intimes.

Je la suis du regard tandis qu'elle se dirige vers le hall d'arrivée et avance d'un pas résolu avec quelque chose d'étudié et d'un peu apprêté dans l'allure, en direction d'un petit groupe de jeunes gens qui lui adressent de grands gestes. Je me demande lequel, parmi les trois garçons qui l'attendent, est Samuel, et peut-être répond-elle à ma question en plongeant dans les bras d'un brun longiligne et frisé portant une courte barbe et des lunettes rondes et contre l'épaule duquel elle demeure quelques secondes, avant d'aller embrasser les camarades qui l'entourent et montrent des signes d'impatience.

Avner, le chauffeur de taxi attitré de mon père, m'attend, posté un peu plus loin. J'aime l'idée que cet homme qui l'a escorté tout au long des années me conduise vers sa dernière demeure. Peut-être le cuir des sièges a-t-il conservé l'odeur de ses cigarettes, une trace de son souffle parcouru le temps ?

Nous nous étreignons sans un mot, au milieu des cris et des accolades accompagnant la liesse des retrouvailles. Nous marchons côte à côte en silence jusqu'au véhicule garé dans un parking.

Après que la voiture a démarré, nous échangeons des nouvelles de nos familles respectives, devisons sur la rudesse et les joies d'être père d'adolescents, abordons la question de la situation politique, formulons le vœu pieux que les dirigeants se ressaisiront un jour pour offrir aux peuples d'autres perspectives qu'un horizon de haine, concluons que le pire n'est jamais certain, puis restons sans plus rien dire.

Au bout de quelques kilomètres de route, Avner rompt le silence pour déclarer d'un ton neutre, mais que trahit l'enrouement de sa voix :

— Tu sais, il m'arrive encore de pleurer papa.

Je contemple le visage buriné de cet homme à la carrure de catcheur, accablé de tristesse par le souvenir d'un client disparu un an plus tôt. Je me retiens de rétorquer quoi que ce soit par crainte que le moindre mot ne déclenche chez nous deux une explosion de larmes. J'imagine cette scène grotesque de deux types de notre âge éclatant en sanglots sans véritable raison à l'avant d'une voiture.

Avner se reprend pour dire :

— Tu as vieilli en un an, tu sais ?

— Je sais.

— Tu grisonnes, tu as perdu tes cheveux… Tu faisais plus jeune quand il était là.

— Maintenant je fais mes cinquante-cinq balais, je réponds, pas si loin de penser qu'être un fils attardé préserve du passage du temps.

Un nouveau silence s'installe au terme duquel il finit par lâcher :

— Il me manque, tu sais… Sa voix, son rire, sa façon de se mêler de tout, son entêtement à donner des conseils quand on n'en demandait pas, son élégance à quatre-vingt-cinq ans, et puis son amour pour ta mère, ce couple incroyablement attentionné qu'ils formaient toujours… Il y a quelque chose en lui qui forçait… non, ça n'est pas de l'admiration, le respect, c'est cela, ton père forçait le respect... Tu sais, j'en ai vu défiler des clients. C'est un des seuls qui ne se soit jamais adressé à moi comme à son chauffeur, qui ait immédiatement montré de la prévenance, une considération sincère, gratuite, joyeuse. Il écoutait et il parlait ensuite. Même si bien entendu il était difficile de l'arrêter. C'était un vieux lion... Avec ses crises de colère bien sûr. La voiture résonnait quand il se mettait à gueuler contre le gouvernement qui se moquait des pauvres, contre l'opposition incapable de prendre le pouvoir, contre les religieux qui se croyaient tout permis, contre les athées qui ne croyaient plus en rien. Et avec ses accès de tendresse aussi. Il me répétait que j'aurais dû être professeur. Je lui répondais, Lucien, j'ai dû fuir le Kazakhstan à l'âge de dix ans, et je n'ai plus posé mes fesses sur un banc d'école depuis, comment je pourrais être professeur ? Il affirmait que ça n'était pas l'instruction qui faisait le bon enseignant. C'était le sens de l'amitié. « Quel rapport avec l'amitié, Lucien ? — Un bon prof, Avner, ça a le sens de l'amitié. Laisse-moi te raconter cette histoire... » Pour chaque événement de la vie, il avait une histoire. Oui, c'est cela, un vieux lion et un conteur juif. Parfois, quand nous étions arrivés à destination et qu'il n'avait pas terminé son histoire, il me demandait de rallonger la course, de faire le tour du pâté de maisons pour lui laisser le temps de conclure. Finir son récit lui importait plus que n'importe quel rendez-vous, avait plus d'importance que l'engueulade qui l'attendait à son arrivée. « Mais Jeannine est là-bas depuis dix minutes, Lucien ! — Tu sais, après soixante ans de mariage, on a fini par s'habituer aux défauts de l'autre. Prends par le bord de mer, ça va faire trois jours que je ne l'ai pas vu. » Je faisais le détour pour lui laisser le temps de conclure. Ta mère, qui est tellement à cheval sur les principes, tellement respectueuse des autres, ses retards la rendaient folle. Il se débrouillait toujours pour inventer une excuse. En une remarque il déridait celui ou celle qu'il avait mis dans une colère noire. Les autres faisaient partie de sa vie, ils lui appartenaient en quelque sorte, et le pire c'est qu'on aimait lui appartenir, on aimait qu'il se soucie de nous et qu'il nous engueule comme des enfants quand il le jugeait bon. Mais c'est vrai aussi qu'il n'était pas facile. Il était exigeant, même avec des étrangers comme moi. Il se permettait de juger. Ce qui ne le regardait pas devenait son affaire. Le plus étonnant était qu'il était de bon conseil, avec sa morale et ses principes inébranlables. On avait quelqu'un en face qui pouvait nous dire ce qu'on ne voulait pas entendre, nous montrer ce qu'on ne voulait pas voir. Il s'astreignait à ce rôle-là, ton père. Il n'était pas commode, il était irascible, il était fier, il pouvait se montrer dur, mais il avait ce truc que n'ont pas les autres types orgueilleux : il ignorait la rancœur, il savait pardonner… Tu sais, j'ai dû passer plus de temps à parler avec lui qu'à m'entretenir avec mon propre père qui était l'inverse, un taiseux, toujours ailleurs, toujours préoccupé par quelque chose, je n'ai jamais su quoi. Tandis que ton père il était toujours là. Le premier jour où il a ouvert la portière, c'est comme s'il était entré dans ma vie. Et il a beau avoir quitté ce monde, il n'en est jamais parti… Le mois dernier, en revenant d'une course, je suis passé devant chez lui, ça m'a fait un tel pincement au cœur de ne pas le trouver devant l'immeuble, j'ai roulé jusqu'au cimetière, je suis allé sur sa tombe et j'ai commencé à lui parler. Tu peux le croire ça ?..

Il s'interrompt un bref instant avant de reprendre :

— Il parlait beaucoup de toi, tu sais. Il me racontait ce que tu faisais, ce que tu rêvais de faire ou ce qu'il rêvait que tu fasses… Tu savais qu'il collectionnait les articles de presse te concernant ? Il les prenait sur le Net et les imprimait. Quand je passais le chercher, je le voyais brandir le dernier papier comme s'il tenait le billet gagnant du Loto. Dans la voiture il me le lisait à haute voix : « Écoute, Avner, écoute : "*Seksik a écrit un roman bouleversant*", le journaliste écrit *Seksik* comme si Laurent était devenu quelqu'un ! » Il poursuivait en commentant l'article. « Quelle profondeur d'analyse ! il disait. C'est un métier, journaliste, et un beau ! » Mais si le chroniqueur avait émis une critique, ton père s'emportait, traitait le type de tous les noms, comment se permettait-il, ce moins que rien, ce gratte-papier, d'attaquer son fils ? Il me racontait tes voyages à l'étranger pour tes livres, tes conférences… Tiens, je me souviens du jour où tu lui as téléphoné pour lui annoncer que tu abandonnais la médecine.

— Mais… c'était il y a cinq ans !

— Je ne sais pas pourquoi, ça m'a marqué.

J'allais sur mes cinquante ans le jour où je me suis décidé à abandonner l'exercice médical. J'appréhendais de faire part de ma décision à mon père. Certes, je n'avais pas démérité, j'avais donné le meilleur de moi-même, été interne, assistant des hôpitaux, enseignant à la faculté des Saints-Pères, je désertais pourtant sans avoir découvert aucun médicament pour sauver quiconque et en particulier pour le sauver, lui, des effets du tabac qui n'avait dû cesser d'obstruer ses artères et ses bronches. Je trahissais les espoirs placés sur ma personne, quittais le navire des sciences pour partir en croisière sur le voilier de la grande récréation littéraire. Je cédais à mon bon plaisir. Sans même la prudence de conserver *une poire pour la soif.*

Ce jour-là, je pris mon courage à deux mains et décidai de passer aux aveux, avec la même crainte qu'un gamin présentant son pire bulletin scolaire.

« Papa, j'ai décidé d'abandonner la médecine. »

Il laissa passer un long silence, durant lequel je redoutais qu'il n'ait succombé à une attaque.

« Laurent, tu as raison, finit-il par déclarer.

— Moi, j'ai raison ?

— Oui, tu fais bien.

— … D'abandonner la médecine ?

— Absolument.

— De ne plus exercer ?

— Tout à fait.

— Et la poire ?

— Oublie la poire.

— Et si j'ai soif ?

— Tu n'auras plus soif.

— Mais pourquoi trouves-tu que j'ai raison d'abandonner quelque chose, toi qui as toujours soutenu que l'on ne devait jamais rien abandonner ? Que l'on pouvait être médecin *et* écrivain. Que l'on *devait* même être médecin *et* écrivain. Pourquoi ai-je le droit de ne plus être médecin ? Alors qu'il ne faut jamais céder à son plaisir. Alors que le devoir seul importe. Qu'être utile est l'essentiel.

— Pourquoi ? Eh bien, c'est très simple. Parce que c'est peut-être bien de faire deux choses à la fois, mais c'est encore plus beau de pouvoir vivre de sa passion. »

À quatre-vingts ans, il changeait les règles. On pouvait vivre de sa passion. En contradiction avec tout ce qui avait été édicté par ses soins jusque-là, tout ce qu'il s'était efforcé de transmettre. Subitement, il revenait sur un demi-siècle d'éducation fondée sur le sens du sacrifice et le goût de l'effort.

L'instant de saisissement passé, je le remerciai de m'avoir donné sa bénédiction, d'un ton que je ne parvenais pas à rendre joyeux. Je me sentais dépossédé d'un héritage de principes, brûlais d'envie de lui demander de réviser sa position. Ressaisis-toi, papa ! On ne doit pas renoncer ainsi. Tu dois t'opposer à ma décision, me ramener sur le droit chemin. Écrire n'est pas un métier, tu le sais bien ! Écrire à plein-temps vous coupe du monde extérieur, entretient votre propension naturelle à la mélancolie, nourrit vos tendances paranoïaques. Je déteste interpréter des scanners mais je suis bon dans la matière. J'ai été chef de clinique des hôpitaux de Paris – pour que tu sois fier de moi –, et tu abandonnes, comme ça, pour quelques lauriers au-dessus de ma tête ! Écrire n'a jamais sauvé personne, papa. Écrire n'a jamais inventé aucun médicament qui guérisse quoi que ce soit ! Reprends-toi, papa ! S'il te plaît, remets la poire sur ma conscience !

« J'ai l'impression que ce que je te dis ne te fait pas plaisir, lança mon père.

— Si, si, je répondis à contrecœur.

— Sois fier de toi, fiston, tu raccroches les gants après de beaux combats. Adieu Docteur Seksik, à demain Monsieur l'Écrivain. »

Je demande à Avner s'il se souvient de mon père ce jour-là, s'il n'était pas triste ou accablé par mon choix.

Il répond sans une hésitation :

— Heureux comme jamais ! Il s'est écrié devant moi : « Ça y est, Laurent l'a fait ! — Qu'a-t-il fait, Lucien ? — Il l'a fait, il a enfin arrêté la médecine ! » Je lui ai demandé comment une telle résolution pouvait le réjouir alors que je l'avais toujours entendu te conseiller le contraire. Il a répondu qu'il était en rage contre ta décision, mais qu'il était un père comblé parce que, en la prenant, tu étais devenu un homme. À cinquante ans ! Tu avais enfin fait un choix qui allait à l'encontre de ce qu'il attendait. Qui plus est, un engagement dont tu savais qu'il lui briserait le cœur. Ça t'avait pris du temps, mais tu l'avais fait. Maintenant, il avait l'impression qu'il pourrait partir en paix. Jusque-là, il redoutait que tu ne sois trop fragile, que ta sensibilité ne te nuise. Il était heureux, il n'avait plus peur pour toi.

Avner mesure-t-il l'importance de ce qu'il vient de m'apprendre ? Il poursuit :

— Hé, tu n'es pas vexé que j'aie dit que tu avais vieilli ? Mais tu lui ressembles plus qu'avant. En moins gai, si je peux me permettre. Même avant sa disparition, tu avais l'air moins enjoué que lui. Ça travaillait papa. Il redoutait que l'écriture ne te rende malheureux. Il te trouvait plus insouciant au temps où tu étais médecin, même si le métier ne t'enchantait qu'à moitié. Pour lui, la pratique de la médecine pouvait équilibrer ton côté angoissé. Ça le tracassait que tes romans finissent toujours mal… Tu sais, pour honorer sa mémoire, tu devrais terminer ton prochain livre sur une note joyeuse.

— J'essaierai, Avner, je te promets…

Je contemple en silence les collines couvertes de pins que traverse l'autoroute. J'aperçois dans la lumière rasante du lointain les toits des faubourgs de la ville. Le cimetière n'est plus très loin. Nous arrivons au grand carrefour avec l'éternité.

Le livre de mon père

Je dus attendre mon retour de l'hôpital pour entendre la fin de l'histoire qui avait bercé mon séjour et longuement insister afin que fût repris le douloureux récit de la disparition de mon grand-père. Mon père ne s'attarda pas sur la chronique de la mort annoncée d'Albert Seksik, raconta en quelques mots que l'homme était décédé d'une embolie, ultime complication de l'atteinte de ses poumons gazés. À son dernier matin, l'homme avait glissé la pièce de cinq sous au chevet de son benjamin.

Conformément à la tradition, l'oncle Victor prit en charge l'éducation des six orphelins de son beau-frère disparu, promit de subvenir à leurs besoins jusqu'au restant de ses jours.

Quelques mois plus tard seulement, Roger, le frère aîné de mon père, succomba à la fièvre typhoïde. Il avait quinze ans. On enterra le fils auprès du père.

Mon père ne s'étendit pas sur la période qui suivit ce double drame comme si jusque dans sa mémoire avait été respecté un long silence de deuil.

L'histoire familiale reprit en 1940. Dès le mois d'octobre, le gouvernement de Vichy édicta la loi sur le Statut des juifs proclamant la notion de race juive, et exclut les juifs d'Algérie comme ceux de métropole de la fonction publique et de nombreuses professions, de la même façon qu'en avril 1933, trois mois après l'accession au pouvoir de Hitler, le régime nazi avait procédé avec les juifs allemands. Le décret Crémieux fut abrogé, on retira leur nationalité aux juifs d'Algérie, et eux, si fiers d'être français, se virent considérés comme des « indigènes de race juive ». Les enfants juifs durent quitter l'école. Au titre de pupille de la Nation fut accordé à mon père le droit d'étudier dans son collège pendant une année scolaire supplémentaire. On refusa l'aumône.

Durant l'année 1941, la commission franco-allemande commença à étudier le listage des juifs et mit sur pied des plans d'édification de camps de regroupement à la lisière du Sahara algérien. L'idée de préparer la déportation des juifs d'Algérie par bateau faisait son chemin.

Mon père retrouva le sourire pour évoquer la journée du 8 novembre 1942, jour qui sonna dans toutes les familles juives le temps du salut. Il relata plein de ferveur le débarquement des Américains auquel il avait assisté depuis le toit de son immeuble, observant, sa main dans celle de son oncle, le manège des avions yankees tournoyant dans le ciel d'Alger, leur regard pareillement émerveillé devant le spectacle des libérateurs venus du ciel, vision qui demeurera un de ses plus fameux souvenirs de jeunesse.

Il perdit son enthousiasme en rapportant les longs mois qui suivirent, dans Alger libérée, avant que les juifs ne fussent autorisés par le nouveau pouvoir à recouvrer la nationalité française que Pétain leur avait retirée.

— Si tu crois que j'exagère, arguait-il, lis ce que Derrida a écrit sur la question. Ça restera le grand traumatisme de notre existence d'être restés des apatrides dans la France libérée après avoir été des indigènes sous celle du Maréchal…

En 1948, l'épouse de Victor, Rachel, mourut pendant son sommeil. On dit que c'était de chagrin. Mon père et ses sœurs avaient atteint l'âge adulte. Victor, libéré de ses responsabilités à leur égard, aurait pu s'employer à réaliser son rêve. Il se sentait trop vieux et trop fatigué pour un périple vers Atlanta. Ses forces déclinaient et il avait maigri. Le docteur P.Z. le rassura sur son état, lui recommanda de manger des fruits secs et de boire des jus de fruits. Après quoi le médecin convoqua mon père, l'avertit que les jours de son oncle étaient comptés, sa maladie était au-delà de toute thérapeutique – c'était le pancréas.

Le 31 janvier 1949, le jour de ses vingt ans, mon père se présenta chez son oncle, vêtu de son plus beau costume, ses mocassins soigneusement cirés, une valise à la main. Il avait dans la poche deux billets pour l'Amérique.

« Lucien, pourquoi viens-tu me sortir de mon lit ? demanda Victor allongé sous les draps, mâchonnant les fruits secs dont il tenait un sac plein dans la main.

— Parce que l'heure est venue de rendre hommage à la découverte de ton père, tonton.

— À mon âge, Lucien, il n'est plus l'heure de rien. »

Mon père tira du placard pantalons, chemises, caleçons et chaussettes, les rangea soigneusement pliés dans sa valise. Après quoi il sortit les billets de sa poche et les exhiba face au vieil homme, expliquant que le bateau pour Marseille partait le soir même. Après, ce serait Paris, puis direction l'Amérique. Au seul nom d'Atlanta, quelque chose s'éclaira dans l'esprit du vieillard. Il contempla le jeune homme, crut se voir à son âge en partance pour Le Havre, impétueux, léger, débordant d'énergie, sans peur du lendemain. Il se leva, s'habilla et suivit son neveu.

De Marseille, on prit un train pour la capitale où l'on découvrit Paris en quelques jours. On flânait sur les trottoirs, on s'asseyait dans les troquets. On fit le tour de Pigalle et de Montmartre, on visita le Sacré-Cœur, on monta tout en haut de la tour Eiffel. Ils n'avaient jamais rien vu d'aussi grandiose.

Place de la République, Victor choisit de rentrer se reposer, Lucien voulut poursuivre. Il descendit les escaliers du métro. C'était la première fois qu'il y mettait les pieds. Il s'assit sur un siège, et comme il en avait l'habitude en toutes circonstances, se mit à converser avec la personne à ses côtés, une jeune femme, prénommée Jeannine, elle aussi de passage à Paris pour son examen de propédeutique. C'était une lettrée, qui avait fait latin-grec, et que le mélange d'audace et de prévenance du jeune homme séduisit.

« Et vous, où allez-vous donc ? se risqua à demander Jeannine à l'instant de quitter la rame, après avoir fini de répondre aux questions de son interlocuteur.

— À Atlanta. C'est une longue histoire…

— J'attendrai que vous veniez me la raconter à votre retour », répondit-elle, effarée par sa propre témérité, avant d'inscrire son adresse sur un coin de papier et de la tendre à son voisin.

Une fois à l'air libre, la jeune femme se dit qu'elle avait rencontré un original. Mais quand elle rentra chez elle et annonça avoir trouvé l'homme de sa vie, sa mère la prit très au sérieux.

Le vieil oncle et son neveu quittèrent Paris pour Le Havre où ils embarquèrent sur un transatlantique. Durant la traversée agitée, ils passèrent l'essentiel du voyage dans leur cabine de troisième classe, juste au-dessus de la salle des machines, à vomir leurs tripes.

Lucien adora New York, quand Victor détesta la ville. La clameur des rues l'assommait. Il manquait d'air au milieu des buildings. Au troisième jour de visite, il fut pris de malaise. À l'hôpital Saint Patrick où il fut conduit puis soigné, le médecin alerta le neveu sur l'état de son oncle. Il le somma de le ramener en France. Les jours du vieil homme étaient comptés. Entendant son neveu relayer les injonctions du docteur, Victor glissa sa main dans celle du jeune homme, lui jeta un long regard implorant et murmura :

« Tu ne vas pas me faire ça maintenant qu'on touche au but ? »

Le lendemain, ils prirent le bus pour Atlanta.

— Mais, papa, qu'avais-tu envisagé de faire, quel était ton plan, une fois arrivé là-bas ?

— Un plan ? – Il éclata de rire. – Je n'ai jamais fait aucun plan ! Crois-en mon expérience, il vaut mieux se fier à son instinct. L'inspiration nous guide toujours.

Le bus de la compagnie TransAmerica à l'arrière duquel ils avaient pris place mit une vingtaine d'heures pour parcourir les mille huit cents kilomètres du trajet New York-Atlanta. Mon père admirait le spectacle de montagnes et de vallées, de prairies immenses, de forêts étendues à l'infini, de rivières plus larges que des fleuves, paysage hors du temps, furieusement démesuré. Son oncle somnolait et semblait s'enfoncer dans un ailleurs lointain dont Lucien redoutait que ce fût le néant où son père et son frère avaient déjà sombré.

Et soudain, sans raison, un soupçon de clarté éclairait son visage, un sourire s'esquissait aux coins de ses lèvres, il s'éveillait à la vie. Lucien avait eu peur pour rien.

« Qu'as-tu prévu exactement, quand nous serons là-bas ? s'inquiéta le vieillard.

— Ne t'inquiète pas, mon oncle, tout est minutieusement organisé, répondit le jeune homme avec aplomb, sans rien détailler de ses intentions ni avouer qu'il n'avait pour l'heure que l'adresse de la firme Coca-Cola et la photographie découpée dans un journal de Robert W. Woodruff, le patron de l'entreprise.

— Tu sais, fit Victor, le regard soudain morne, j'ai de loin dépassé l'âge qu'avait mon père au moment de sa mort. Certains soirs, j'arrive à peine à me souvenir du son de sa voix. Tout cela semble si loin. À quoi bon, finalement ?

— Pour l'honneur, mon oncle !

— Ah, oui, l'honneur, j'avais oublié… Tu as raison. Si je m'endors, réveille-moi quand il s'agira de défendre notre honneur. Je ne veux pas manquer ça. »

Il ferma les paupières et plongea dans un profond sommeil.

Lucien contempla le visage au teint jaunâtre, le corps cachectique dévoré par la maladie. Voilà un quart de siècle, au milieu des tranchées, cet homme avait porté son père à bout de bras.

Il songea que, maintenant, c'était son tour à lui.

L'hôtel dans lequel ils s'installent à Atlanta est situé à quelques encablures du siège de la firme. Victor s'est endormi à peine arrivé. Lucien ne parvient pas à fermer l'œil. De la fenêtre de la chambre, il observe, fasciné, les huit lettres de l'enseigne dont le clignotement illumine la chambre à intervalles réguliers. Le jeune homme brûle d'impatience de voir le jour se lever, il arpente la chambre de long en large. En fin d'après-midi, il est sorti reconnaître les lieux. Le siège était gardé par deux agents de sécurité et une armée de grooms. Sur le chemin du retour, remontant les rues désertes de Downtown Atlanta, il a songé qu'à son âge son père bravait le feu de la mitraille allemande. Défier Coca-Cola lui a paru alors un jeu d'enfant.

Les premières lueurs de l'aube trouvent le jeune homme assis, méditant son projet. L'heure serait venue de réveiller son oncle mais, accablé de fatigue, le jeune homme s'endort. Quand il rouvre les yeux, il fait déjà grand jour, son oncle se tient debout, vêtu comme un dimanche, gilet de flanelle, pantalon de velours, chemise blanche et cravate, le regard fixé vers l'enseigne, l'air pensif. Son visage rayonne, son dos s'est redressé, il a rajeuni de vingt ans.

« J'ai préféré te laisser dormir un peu, fait-il. Comment trouves-tu ma tenue ? Tu avais raison, l'événement méritait un costume trois-pièces… »

Après quelques secondes, il ajoute d'une voix inquiète : « Deux types venus d'Alger proposer à Coca-Cola une boisson gazeuse, tu crois qu'ils vont nous prendre au sérieux ?

— Deux types venus d'Alger valent autant que les autres. Et n'oublie pas que tu es un héros de guerre qui a sauvé mon père », répond Lucien en finissant de se préparer.

Ils sont désormais tous les deux, à la porte, face au grand miroir, prêts à sortir. Le jeune homme, le vieux malade, dans leur costume fringant, affichant tous deux un sourire victorieux, comme s'ils avaient déjà remporté le combat, deux pieds nickelés, deux branquignols, deux indigènes, à qui la vie n'a rien offert, hormis une immense espérance, un puits d'humanité et une foi sans bornes, ayant franchi l'océan, traversé l'Amérique, portés par ce rêve insensé de rendre à un mort son honneur et ses rêves. Ils se moquent de repartir bredouilles. Ni l'argent ni la gloire ne leur ont jamais importé. Ils viennent en vertu des grands principes. Ils savent qu'on laisse pour seul héritage la quantité d'amour qu'on a donnée aux siens.

« Mon oncle, permets que je t'arrange ce petit pli, dit Lucien avant d'épousseter la veste de son oncle et d'en lisser le velours. Voilà, tu es superbe ! »

L'oncle redresse les épaules, un air de fierté juvénile sur son visage.

« Et mes chaussures ? demande-t-il. Je les ai vernies pendant que tu dormais.

— Elles sont impeccables.

— C'est ton père qui me les a confectionnées, tu sais. Le cuir n'a pas bougé. Tu vois ce travail, Lucien ?

— Oui, mon père était un artiste, un grand artiste. »

Les deux hommes demeurent un instant immobiles, silencieux face au miroir, scrutant droit devant eux, et l'on dirait, à leurs yeux tristes et émus, qu'ils se recueillent chacun sur la tombe de leurs disparus.

« Allons-y ! décide le vieil homme, interrompant l'instant de solennité comme on siffle la fin d'une minute de silence.

— Haut les cœurs, mon oncle ! »

Ils marchent côte à côte dans les rues d'Atlanta, l'un le dos voûté, la mine fatiguée, nageant dans son costume, l'autre irradiant de la splendeur de ses vingt ans, l'avenir devant lui, s'appliquant à régler son pas sur le pas ralenti de son oncle. Ils avancent aussi émerveillés par ce qu'ils voient que par l'exploit qu'ils s'apprêtent à commettre. Prenant par l'avenue George Washington, ils ont l'impression de remonter le temps pour aller laver les outrages du passé. Le jeune homme est convaincu que justice sera faite. S'il a l'âge des rêves d'absolu, il est, et demeurera jusqu'au dernier de ses jours, un homme d'une foi à toute épreuve, malgré les injustices que la vie lui a faites, son père disparu, son frère mort, sa citoyenneté – son honneur – déchue et retrouvée comme on donne l'aumône, il est persuadé que Dieu ou l'Histoire se presse pour réparer sa part de malheur. Il songe à Jeannine, la femme qui l'attend, il voit poindre l'éclat de jours heureux dans l'étincellement des vitres des buildings. Son bonheur adviendra une fois son devoir accompli et que sera soldée la première grande faute du passé.

Le vieil homme feint d'ignorer que l'on court à l'échec. Il aura laissé toutes ses forces au long du voyage. Et il accomplit là, marchant le nez au vent dans les rues d'Atlanta, le dernier acte libre d'une vie comblée. « Regarde ! » s'exclame-t-il, désignant à son neveu la façade de la firme qui vient de surgir de l'autre côté du trottoir, trente mètres devant eux.

Le bâtiment ne ressemble en rien au flamboyant gratte-ciel dont il avait rêvé tout au long des années, et qu'il imaginait tantôt sous la forme de la tour de Babel et tantôt sous celle de la muraille de Chine. C'est pourtant le plus fabuleux spectacle qu'il lui fut jamais donné de voir. Son rêve de jeunesse devenu réalité.

« Attends-moi là, mon oncle, je reviens te chercher, propose Lucien en désignant un petit parapet devant l'entrée d'un immeuble.

— Tu n'oublies pas, n'est-ce pas, "La Jacobine, eau gazeuse et miraculeuse"…

— Et comment oublierais-je, mon oncle ?

— Approche, chuchote le vieil homme à l'oreille du jeune, avant de poser la main sur sa tête et le bénir. Allez, file à présent, fiston. Tu es le messager de notre histoire ! »

Lucien traverse l'avenue, manquant de se faire écraser par une Buick bleu marine modèle 1948 flambant neuve, fonçant à vive allure sur l'asphalte et dont le conducteur klaxonne après l'avoir évité de justesse, avant de lui lancer, par la vitre ouverte, une injure dont l'écho va se perdre dans le vacarme de la rue sans que le jeune homme, le regard aimanté par le building, s'aperçoive seulement qu'il vient d'échapper à un accident. Il cherche l'inspiration dans l'air saturé de lumière comme on attend que la grâce vous tombe du ciel. Autour de lui, une petite foule de femmes et d'hommes marche d'un même pas, les unes vêtues de tailleurs stricts, les autres portant des costumes à la coupe parfaite. Approchant du bâtiment, il se sent écrasé par l'ombre de l'édifice. Comment réussir à se hisser à la hauteur du mur d'espérances qu'a nourries la légende familiale ?

Femmes et hommes vont se glisser dans le tourniquet de l'entrée comme happés par la course du temps. Un des grooms postés devant l'immeuble vient en sa direction un large sourire aux lèvres et l'invite à entrer d'un geste machinal comme s'il faisait partie du même groupe humain que l'essaim qui l'entoure. Il cède à l'encouragement, emprunte le tourniquet d'un pas déterminé, se retrouve dans un hall d'une hauteur de cathédrale, carrelé de marbre rose, vibrant d'un murmure feutré, monde étrange, grandiose, où semble battre un autre rythme et se parler une autre langue qu'à l'air libre.

Il se dirige vers l'accueil. Un standardiste assis derrière son pupitre et affichant une mine bienveillante lui demande d'une voix amicale comment il pourrait lui être utile.

« Je voudrais voir le président de Coca-Cola Company, assène tranquillement le jeune homme.

— M. Robert W. Woodruff ? demande le standardiste, sans le moindre accent de surprise.

— En personne, répond le jeune homme, ravi de l'accueil qui lui est fait.

— Vous avez rendez-vous ? interroge le standardiste, toujours enjoué.

— Je devrais ? s'inquiète le jeune homme. Je ne suis pas au fait des coutumes de votre pays. Mais s'il faut prendre rendez-vous, je le ferai.

— C'est très aimable à vous. Et quand désireriez-vous rencontrer notre président ?

— À l'heure qui vous conviendra, explique le jeune homme et, lisant une gêne sur le visage de son interlocuteur, il ajoute : S'il faut attendre cet après-midi, j'attendrai.

— C'est très aimable à vous, répète le standardiste.

— Mais je peux aussi ce matin, se reprend le jeune homme, saisissant une pointe d'embarras dans le regard de son interlocuteur.

— Cela ne va pas être possible ! laisse échapper le standardiste comme pour lui-même, tout en appuyant sur une sonnette devant lui.

— Alors va pour cet après-midi ! » reprend Lucien d'un ton conciliant.

À peine a-t-il achevé sa phrase que le jeune homme sent la pression d'une main sur son épaule. Un type imposant comme une armoire à glace lui commande de quitter les lieux. L'expression de son visage ne laisse aucun doute sur le fait qu'il convient d'obtempérer. Lucien retourne vers la sortie, escorté par le vigile. Il tentera, une fois dehors, une nouvelle intrusion mais sera contraint de renoncer face à la silhouette menaçante du vigile et au non définitif qui lui est opposé par un simple hochement de tête.

Il traverse l'avenue pour retrouver son oncle et, tout en marchant dans le jeu d'ombres et de lumières que la façade des buildings orchestre sur son passage, au milieu de cette vie vibrante de certitudes, il se demande si rendre honneur aux disparus ne revient pas à se battre contre un moulin à vent. N'avait-il pas mieux à faire que de remuer le passé ? Quand il parvient à hauteur de son oncle, poursuivre l'aventure lui semble dérisoire.

« Tout se déroule parfaitement ! affirme-t-il avec toupet au vieil homme qui s'inquiète du déroulé des événements. Le président de Coca-Cola est prévenu. Il m'a expliqué au téléphone qu'il fera le nécessaire. Il attend la formule de la Jacobine, et s'est dit prêt, si elle a autant de vertus que je le lui ai certifié, à la commercialiser en notre nom.

— Dans mes bras, fiston ! »

L'oncle et le neveu s'agrippent par les épaules et entament au beau milieu du trottoir une danse, vieille danse juive venue du fond des siècles. Ils tournoient ensemble, jusqu'à ce que le vieil homme, le souffle coupé, demande à s'asseoir.

« Plus rien ne nous retient ici, finit-il par dire.

— Absolument rien ! répond Lucien.

— Nous pouvons rentrer alors ?

— Il semblerait, mon oncle.

— Tu as rendu justice à mon père, Lucien. Tu pourras te flatter d'être un homme digne de ce nom, chaque jour de ton existence.

— Merci, mon oncle.

— Peux-tu m'aider à me redresser, s'il te plaît, il me semble que j'ai trop forcé pendant la danse. Je commence à présumer de mes forces. »

On rebrousse chemin sur la grande avenue, sans prononcer un mot, le vieil homme songeur et un peu absent, le jeune, triste et amer, indifférent aux bruits joyeux de la rue, évitant de croiser le regard de son oncle. Il ressent soudain toute la chaleur du jour, ses épaules ployant sous une fatigue immense, il avance défait, abandonnant ses illusions sur le trottoir de l'avenue, et déjà nostalgique du combat mené, d'un autrefois bercé d'espoirs. Il est gêné, honteux d'avoir pu s'imaginer victorieux, de s'être cru plus malin que les plus puissants des hommes, vu en héros, grand redresseur de torts et vengeur du passé, il lui semble que ce long voyage s'est déroulé en pure perte. Il a rêvé en vain tous ces milliers de rêves.

Quand soudain, quelque chose, dans son champ de vision, accroche son regard, capte son attention. Sur l'instant, il ne comprend pas précisément de quoi il s'agit, il ressent une frustration presque douloureuse en s'interrogeant sur ce à quoi il a assisté. Il éprouve une impression de déjà-vu. Son instinct lui dicte que quelque chose d'essentiel vient de passer sous ses yeux.

« Lucien, on dirait que tu viens de voir un revenant ! s'exclame le vieil homme devant la mine stupéfaite de son neveu.

— Attends-moi ici ! » lance le jeune homme en se mettant à courir, tout s'étant soudain éclairé dans son esprit.

Lui était revenue l'identité de l'homme qu'il venait de croiser : Robert W. Woodruff, en personne, dont il avait trouvé le portrait dans un journal avant de partir. Pas rapide et déterminé, costume trois-pièces impeccable, plein de cette assurance détachée que confèrent les ors de la vie de palace, le président de Coca-Cola vient de frôler son épaule comme le destin vous tend les bras. Le jeune homme court pour rattraper le président qui a pris une confortable avance, il court à grandes enjambées, s'efforçant d'éviter les passants qui marchent à contresens, il se sent le champion d'une course d'obstacles qui a débuté à l'autre bout du monde, dont les premiers participants sont morts il y a un demi-siècle, il perçoit au creux de sa main droite l'empreinte du témoin que lui a remis son oncle, qui le tenait de son propre père, c'est à toi maintenant, se dit Lucien, avec l'image de son père qui courait sous la mitraille, convaincu d'entrer dans l'Histoire par une porte dérobée, quand son père en est sorti par la grande porte, le voilà arrivé devant le building, à quelques pas du grand patron, qui est en train de parler à un petit groupe d'individus. L'homme, souriant, affable, dispense ses avis à l'assemblée qui l'entoure et qui boit ses paroles. Lucien se poste face à lui, le fixe droit dans les yeux et déclare :

« Monsieur Woodruff, je suis Lucien Seksik, le petit-neveu de Jacob Valensi, l'inventeur de la Jacobine, eau gazeuse et miraculeuse ! »

Le président de Coca-Cola jette sur lui un regard surpris, ses lèvres esquissent un sourire machinal tandis que ses subordonnés observent le jeune homme avec méfiance.

« Jacob et la Jacobine ? répète le président, d'un air réfléchi, semblant prendre au sérieux son interlocuteur. Répétez-moi votre nom.

— Mon nom ne vous dira rien, réplique Lucien toujours déterminé, mais si je vous dis, Jacob, Jacob Valensi…

— Je connais un Seymour Valensi… Nous jouons parfois au golf ensemble, est-il de la famille ? »

Lucien opine de la tête.

« Alors, parlez-moi donc de votre Jacobine, que voulez-vous au juste ?

— Vous en proposer le brevet…

— Monsieur Woodruff, intervient un employé, si cet individu vous importune... !

— Non, laissez-le parler, répond le président. L'esprit d'entreprise est comme l'âme des pionniers, il souffle à toute heure du jour et de la nuit. Nous devons être à son écoute pour concourir au bien-être et à la prospérité du monde libre. »

Woodruff fait une pause, semblant ménager son effet, avant de reprendre, d'un ton plus solennel encore :

« Jeune homme, en venant proposer vos services à notre firme, vous avez frappé à la bonne porte. Devant cette assistance, je vous promets que si votre Jacobine s'avère un breuvage aussi formidable que votre enthousiasme le laisse à penser, nous pourrons ensemble la commercialiser et porter haut et loin cette boisson. Voilà ma carte, jeune homme. Les Woodruff sont des descendants directs des pèlerins du Mayflower, nous avons édifié ce pays sur des valeurs de probité, d'équité, et nous n'avons qu'une parole. Maintenant, vous pouvez disposer, nous devons travailler. »

Après quoi l'homme pénètre dans le hall du building suivi par la petite troupe.

Lucien demeure seul, au milieu du trottoir, dans la lumière rayonnante de midi, le visage radieux, encore étonné par ce qu'il vient de vivre, regardant sans le voir le défilé rapide et ininterrompu des employés. Souriant, stupéfait, un peu béat, il serre précieusement la carte de visite au creux de sa paume.

« Bravo ! lui fait son oncle, avançant en sa direction. J'ai vu toute la scène, tu es notre héros ! Viens là que je t'embrasse ! »

Le neveu marche vers le vieil homme, le soleil pose sur son visage un air de victoire. Il lui semble avoir acquis quelque chose de plus fort qu'un succès de façade. Il a rendu à son oncle sa dignité d'homme, l'a élevé au rang des rares individus qui ont accompli leur rêve d'enfant. Étreignant le vieillard, il embrasse celui qui a sauvé son propre père, à l'autre bout du monde, plus de trente ans auparavant, dans les brumes hostiles, désolées, meurtrières d'une vallée des Ardennes. Il a bouclé la boucle. La vie a rendu son verdict et les a déclarés vainqueurs. Sans avoir haï personne, sans s'être avilis, ils ont triomphé du seul combat qui vaille d'être mené, ils ont remporté une victoire sur eux-mêmes.

Mon père n'est pas allé plus loin dans l'histoire. Son récit s'est interrompu au moment où il recevait cette carte de visite. Sans doute voulait-il conclure sur une note optimiste, m'épargner le décès de son oncle, la probable fin de non-recevoir à sa requête, l'aveu que ce voyage avait été vain. Peut-être aussi désirait-il me faire comprendre que seule la manière compte, le chemin vers la réalisation de ses espérances importe plus que le succès. Jamais je n'ai cherché à connaître le fin mot de l'histoire. Je préférais moi aussi rester sur cette vision heureuse de deux hommes triomphant du sort, l'un à l'épilogue de sa vie, l'autre à l'orée d'une existence, jeune hidalgo et son mentor partis conquérir l'Amérique.

Bien entendu et jusqu'à aujourd'hui, j'ai du mal à croire en l'authenticité de ce témoignage qui réunit tous les éléments du conte pour enfants. Récit initiatique qu'un écrivain sans plume aurait confié à un écrivain sans histoires.

Mais certains soirs, depuis sa disparition, en en reprenant le fil, je me dis qu'après tout, si cette histoire n'était pas vraie, pourquoi mon père l'aurait-il inventée ?

Le temps des adieux

Ce matin-là du dernier de tes jours, je demande au chauffeur du taxi qui me conduit à l'aéroport Charles-de-Gaulle la faveur de m'asseoir à ses côtés. Je commence à sangloter à peine la voiture a-t-elle démarré.

Je téléphone à mes amis dans l'espoir d'un instant de réconfort. Je les appelle tous, les uns après les autres. J'explose en larmes à leur oreille dès qu'ils décrochent. La plupart, sur le chemin du travail à cette heure, restent impuissants et gênés face au torrent de tristesse qui déferle sur eux. Je ne perçois aucune consolation dans leurs paroles. Est-ce que j'en demande trop ? Même avec la meilleure volonté du monde, aucun ne peut m'accorder le sursis que je sollicite.

Auprès de l'un des plus chers me vient cette question stupide :

— Que devient-on quand son père meurt, dis-moi, toi qui as perdu le tien ?

— On s'y fait, répond-il d'un ton désolé.

J'ai l'arrogance de penser que je ne m'y ferai jamais.

Une péritonite non opérée vous accorde seulement quelques heures de survie, mais ni dans le taxi ni durant les cinq heures du vol, pas une seconde l'idée ne me traversera l'esprit que je pourrais arriver trop tard.

C'est alors que l'avion est en passe d'atterrir que j'en prends conscience. Tu n'es peut-être plus de ce monde. Ou peut-être vas-tu le quitter alors que je serai sur la route de l'hôpital sans que nous ne nous soyons dit adieu ? Quelques instants plus tard, au téléphone, ma sœur me rassure et m'épouvante à la fois. « Fais vite, Laurent, il ne tiendra plus longtemps. — Sa tension ? je demande. — 7/4. — Il respire comment ? — Avec de longues pauses. — Sa température ? – 41°. Le médecin dit que papa t'attend, Laurent… »

Je m'élance dans le long couloir de l'aéroport, je passe devant la file d'attente au guichet des passeports, au type derrière sa vitre qui s'enquiert de la raison de ma visite, je réponds que mon père va mourir, je prends le premier taxi qui passe, plus vite, je crie au chauffeur, mon père va mourir ! L'homme, compatissant, accélère.

Ma sœur est venue à ma rencontre au pied du bâtiment.

— Fais vite ! s'exclame-t-elle encore, en se saisissant de mon sac pour alléger ma course.

Je cours dans les allées de l'hôpital qui conduisent au service, je cours comme je n'ai jamais couru, je cours pour te revoir vivant, bouscule les blouses blanches qui font obstacle à mon passage, je cours pour arriver à temps à nos dernières retrouvailles, monte les escaliers quatre à quatre, pour apercevoir une dernière fois ton sourire, recevoir un ultime regard sur moi, je cours l'esprit en miettes, des ailes dans le dos, en implorant le Ciel, moi qui ne prie jamais, de suspendre le temps, je cours comme avant moi ton père sous la mitraille, je cours pour devancer ta fin dont je sens les crocs derrière moi, je cours ivre de malheur et d'espoir, je cours avec ta mort aux trousses.

C'est la dernière fois que je m'en vais te voir. S'il te plaît, attends-moi avant de partir.

Je franchis la porte du service, traverse le grand couloir séparateur des mondes, me glisse à l'intérieur de la salle de réanimation, et fonce jusqu'à ton lit.

Tu es là, les yeux entrouverts.

Vivant.

Tu as attendu. Tu m'as attendu.

Je jette, sans en saisir le sens, un coup d'œil aux constantes qui s'affichent sur les machines. Ta tension est à 6/2, tu as tenu bon toute la journée, c'est ton dernier cadeau, la fête d'un fils, je couvre ton visage de baisers, merci papa.

J'avais vu au temps où j'étais interne de telles prouesses, des patients dont on disait qu'ils retardaient leur heure parce qu'ils attendaient quelque chose ou quelqu'un.

Gloire à toi, mon père, d'avoir trouvé les forces pour un tel acte de bravoure.

Tu es encore de notre monde. Face à nous, ta famille réunie. Ta femme, ta fille, tes deux fils. Tu nous contemples. Tu as l'air triste de nous abandonner. Tu nous offres quelques précieuses minutes. Gloire à toi, mon père qui es si brave ! Ta tension baisse encore d'un cran. Nous nous tenons là, debout, nous élevons vers toi une prière. Écoute, Israël, l'Éternel est notre Dieu, l'Éternel est Un. Gloire à toi, mon père qui es si brave. Écoute, mon père, tu es celui qui a été, tu es celui qui restera. Chacun, tour à tour, demeure seul avec toi, t'offre tout l'amour qu'il te porte, te dit la chance de t'avoir eu. Gloire à toi, papa, d'être vivant, d'avoir vécu ! Ta femme, ta fille et tes deux fils, quel homme a pareille chance de compter un tel aréopage à l'heure de son dernier soupir ? L'infirmier qui s'occupe de toi d'ordinaire vient nous demander de sortir un instant. Nous obéissons à contrecœur et patientons dans le couloir des minutes qui semblent une éternité.

L'infirmier paraît à la porte pour nous apprendre la nouvelle.

C'est la fin du monde à tes côtés.

Nos retrouvailles

J'avance au milieu d'un parterre de tombes, suivant les pas d'Avner qui nous guide à travers les allées du cimetière comme il te guidait du temps de ton vivant. Nos chaussures crissent sur le gravier, le vent souffle à nos oreilles. Au loin se tient un petit groupe de femmes et d'hommes, à l'endroit que je reconnais comme celui de ta sépulture, grande dalle de marbre noir, très simple, où est inscrit ton nom, et résumé, en une phrase, tout l'amour de ta femme et de tes enfants au-dessous de deux dates, 31 janvier 1929-10 mai 2016, vestige de ta présence sur la montagne de souvenirs qu'il nous reste à gravir pour les jours qui attendent.

Je m'en veux de ne pas avoir pris le temps d'écrire mon discours. Les paroles prononcées sur ta tombe, il y a un an, m'avaient valu les félicitations enthousiastes de tes amis qui avaient l'âge de sourire de ce qui touche à la mort. L'un d'eux avait chaleureusement applaudi au milieu de l'hommage, puis était venu me congratuler. L'homme m'avait demandé si, usant de mes prérogatives d'écrivain, je comptais publier le texte. J'aimerais revoir cet homme ce matin où j'ai l'esprit plus ouvert que l'an passé.

C'est aussi le dernier Kaddish que je prononcerai pour toi. La loi juive demande aux orphelins d'entonner, durant un an, chaque jour, cette prière du salut de l'âme, litanie immémoriale qu'ont entonnée siècle après siècle des générations d'orphelins.

À la fin du douzième mois, la période de deuil est achevée. Le Kaddish à prononcer pour d'autres disparus.

Mais je n'ai pas été un bon croyant. Au bout d'un mois, j'avais abandonné mon devoir quotidien de fils juif. Mon frère a pris la charge sur ses épaules. Tu m'as transmis beaucoup de choses. Hélas, ta foi n'est pas passée.

Dans la petite parcelle de l'immense cimetière, ta famille et tes amis sont à nouveau réunis autour de toi. L'heure est advenue, pour ceux qui t'ont aimé, tes enfants, ta femme aux avant-postes, d'adresser vers le ciel les mots du Kaddish. D'une voix étranglée, les yeux gonflés de larmes, nous entonnons le chant des endeuillés venu du fond des temps, l'appel à ce que ton âme repose définitivement en paix. *Itgadal veyitkadach chemé raba.* C'est la dernière fois que nous disons ces mots.

Cette année-là sans toi est vite passée, ta mort, c'était hier, le temps en ton absence offre moins de repères.

Ma mère tire de son sac une bouteille et nettoie à grande eau ta sépulture. Il faut que le lieu où tu reposes garde l'éclat de ta présence.

Lorsque nous quittions la maison pour une longue période, maman avait coutume de jeter sur le sol, par pure superstition, le contenu d'une casserole sur lequel nous devions marcher. Il s'agissait de rappeler à ceux qui partaient le devoir de revenir. J'ai franchi cette flaque des centaines de fois.

Tu ne reviendras plus.

Peut-être ces quatre mots résument-ils le sens du Kaddish ? Prière dont je n'ai jamais cherché la signification exacte, je craignais que la traduction du texte n'exprime pas assez intensément l'émotion qui me saisissait dans l'enfance lorsque je l'entendais, m'emplissait de tristesse. Était-ce, déjà, la crainte d'avoir à la prononcer un jour ? Aujourd'hui où je l'ai dite pour la dernière fois, vais-je devenir un autre, meilleur et insouciant, entré de plain-pied dans l'humanité conquérante ?

Je pose sur ta tombe, déjà jonchée de pierres, un caillou ramassé sur le sol.

Un de tes vieux amis me tire par la manche. C'est l'heure des discours dans la petite salle attenante à l'entrée du cimetière.

— Une année a passé, dit-il d'un air jovial, croyant m'annoncer une bonne nouvelle. Selon la loi juive, à partir d'aujourd'hui, tu n'es plus en deuil, Laurent.

J'aimerais glaner quelques jours de plus.

Une poire pour la soif.

Je marche au côté de ma mère, le bras fermement enroulé autour de sa taille. Elle ne doit pas faillir, maintenant il faut qu'elle tienne.

Une heure plus tard, nous quittons le cimetière sans que j'aie pu énoncer le moindre mot. Il flottait dans l'assistance un mélange d'enchantement et de tristesse, un parfum d'émerveillement que ton seul souvenir posait sur les visages et qui honorait ta mémoire mieux que tous les discours que j'aurais pu tenir.

Je ne suis pas parvenu à présenter mes adieux, pas plus qu'à prononcer le mot « fin » d'une vie.

Épilogue

Je reprendrai l'avion dans quatre heures.

Dans la voiture, sur la route de l'aéroport, nous parlons avec Avner de la pluie et du beau temps. L'air semble plus léger. Lorsque nous ne trouvons plus rien à nous dire, le silence entre nous a perdu l'oppressante gravité qui pesait à l'aller.

Ma mère a rassemblé dans une grande enveloppe des papiers qui, selon elle, pourraient m'intéresser. L'ayant décachetée, j'y découvre lettres, articles de presse, photographies, une urne de souvenirs.

Je pioche au hasard et tombe d'abord sur une liasse de feuilles manuscrites agrafées dont je comprends à la première phrase qu'elles forment un des innombrables hommages que tu as rédigés puis lus au cimetière de Nice. En parcourant ces lignes, j'ai l'impression d'être à nouveau derrière ton épaule tandis que tu t'appliques à donner le meilleur de toi-même pour rédiger l'éloge de ces disparus abandonnés de tous. Chaque mot vient me rappeler l'homme que tu as été.

Je sors de l'enveloppe des articles de presse, critiques de mes romans soigneusement pliées dans la marge desquelles sont inscrites quelques annotations de ta main. En haut d'une chronique élogieuse, tu as écrit : « *Ce type a tout compris !* »

Je découvre une vieille carte postale aux bords écornés et jaunis, datant de la Première Guerre et envoyée du front à ta future mère. Au dos, Albert Seksik, d'une écriture splendide, après avoir longuement donné de ses nouvelles, annonce s'être fait un nouvel ami, un certain Victor Valensi.

Ici, c'est la photographie dédicacée d'Yves Montand où le chanteur a noté :

« En souvenir de nos jeunesses… »

Voilà la lettre de Jean-Marie Le Clézio que je croyais avoir perdue lors de déménagements successifs. Je prends le temps de la relire pour le plaisir de retrouver à nouveau la jubilation qui avait été la nôtre à sa réception.

Deux photographies, je m'attarde sur la première, ma préférée d'entre toutes, tu tiens une cigarette au bout des doigts, un verre dans l'autre main. Tu trinques à la vie, sourire aux lèvres.

Le second cliché nous montre tous deux, père et fils côte à côte, dans l'appartement du 1, rue Roger Martin du Gard, accoudés au piano. Je dois avoir dix-huit ans, je te dépasse d'une tête. La même joie sereine se lit sur nos visages.

Je ne sais combien de temps j'observe, fasciné, ces reliques comme on assiste au défilé d'une parade sous le crépitement d'un feu d'artifice.

— Qu'est-ce qui te fait sourire ainsi ? me demande Avner interrompant ma rêverie.

Je réponds que c'est une longue histoire.

— Si cette histoire finit bien, papa, là-haut, sera fier de toi !

À travers la vitre, je contemple le ciel, songe à la vie qui a été la tienne, aux années qu'il m'a été donné de partager avec toi, ce long passé de doux délices, de ferveurs communes et d'étonnants éclats.

Cet ouvrage a été mis en pages par

N° d'édition : L.01ELJN000805.N001
Dépôt légal : août 2018

Imprimé en France par CPI
en mai 2018

N° d'impression : 147171